KB096257

뱀파이어 걸작선 1 | 고딕 문학 총서 011

카르밀라

◆오탈자, 번역 수정에 관한 제안은 arahanbook@naver.com으로 보내주시면 검토 후 반영하겠습니다.

카르밀라
Carmilla

CONTENT

들어가는 말

고딕 문학을 탐색해온 바톤핑크(아라한)가 이번에 집중해서 다루는 주제는 뱀파이어입니다. 지금까지 출간해온 뱀파이어 단편들의 일차 정리이자 '사이킥 뱀파이어'를 소개했던 시도의 연장선인데요.

영화보다 백 년 정도 앞서 문학, 그 중에서도 소설에 투영된 뱀파이어 이야기는 『드라큘라Dracula』를 분기점으로 현재까지 꾸준히 창작되고 있습니다. 뱀파이어가 전통과 고전을 바탕으로 문학뿐 아니라 영화와 게임, 만화 등의 다양한 매체를 통해서 어떻게 진화하고 있는가, 그에 대한 일차적인 해답을 문학 텍스트에서 찾을 수 있을지 모르겠습니다.

『드라큘라』에 이르기까지 남성 뱀파이어는 빠르게 캐릭터를

구축하고 흡혈 퍼포먼스를 선보이면서 입지를 넓혀갔는데요. 반면 여성 뱀파이어는 상대적으로 확연히 눈에 띄지 않았을 뿐이지 역시나 선전을 거듭하고 있었습니다. 때로는 여성 뱀파이어들을 통해 작품마다 잠복된 전복의 메타포들은 고딕 소설의 장치와 맞물려 당대보다는 후대를 위한 해석의 상찬을 마련하기도 합니다.

여성 뱀파이어로서 현대에 이르기까지 가장 강렬한 인상과 영향을 준 작품은 조셉 셰리든 르 파뉴의 「카르밀라Carmilla」일 겁니다. 현대에 와서는 뱀파이어 카르밀라와 화자인 로라의 관계에서 읽을 수 있는 레즈비어니즘(Lesbianism)에 초점이 맞춰지는 추세인데요. 동성애를 용납하지 않던 당시의 성 모럴에서 이 작품은 교묘하고 세련된 방식으로 그 경계를 아슬아슬하게 이끌어갑니다.

『드라큘라』보다 25년 앞서 출간된 「카르밀라」는 뱀파이어 소설에서 지배적이던 낭만주의적 특징에 변화를 가져온 작품이기도 하죠. 허구적인 편집자를 내세운 프롤로그 도입과 뱀파이어에 대한 의학적이고 심리학적인 접근 방법을 통해, 소설 양식이 뱀파이어 이야기에 선사할 수 있는 최고의 미덕을 보여줍니다.

2024년 초여름

미스터고딕 정진영

프롤로그

다음의 이야기에 첨부된 문서를 바탕으로, 헤세리우스 박사는 좀 더 정교한 주석을 작성했다. 그 주석은 기묘한 주제를 다룬 박사의 논문에 참고 자료로 제출되었다.

논문에서 박사는 특유의 학식과 통찰과 더불어 대단히 직설적이고 명료한 방식으로 이 기묘한 주제를 다루고 있다. 이 글은 그동안 박사가 수집한 비범한 자료의 일부에 지나지 않을 것이다.

'보통 사람들'을 위해 그때의 사건을 책으로 출간하면서, 나는 사건의 관련 인물인 어느 지적인 여성이 밝힌 내용을 가감 없이 있는 그대로 옮겼다. 또한 숙고를 거듭한 끝에 이 주제에 대한 박사의 추론이나 진술 가운데 어떠한 부분도 밝히거나 인용하지 않기로 결심했다. 헤세리우스 박사는 이 주제를 두고 "우리 인간의 이중성과 중간성에 대한 가장 심오한 신비일지 모른다"고 밝힌 바 있다.

나는 다음의 이야기에 첨부되었다는 문서, 요컨대 헤세리우스 박사와 그에게 정보를 제공한 매우 영리하고 신중한 인물이 오래전에 주고받은 서신을 찾아내어 그 당사자인 여성과 연락을 취하려 애썼다. 그 결과 유감스럽게도 그녀가 이미 사망했다는 사실을 알게 되었다.

하지만 내가 아는 한, 그 여성이 살아 있었더라도 아래에 솔직하고 구체적으로 스스로 밝힌 이야기 외에 그녀가 덧붙일 내용은 없을 것이다.

제1장 유년의 공포

스티리아(슈타이어마르크, 오스트리아 남동쪽에 있는 주—옮긴이)에서는 지체 높은 사람이 아니더라도 성에 산다. '슐로스'라고도 부르는 그곳에서는 적은 수입으로도 얼마든지 넉넉한 삶을 누린다. 일 년에 팔구백 정도만 있으면 충분하다. 아쉬운 대로 우리는 부유한 사람들의 삶을 사는 것이다. 내 아버지는 영국인이며, 나는 한 번도 영국에 가본 적이 없으나 영국식 이름을 사용하고 있다. 그런데 여기, 쓸쓸하고 원시적이며 모든 것이 놀랄 만큼 저렴한 곳에서, 편리한 삶이나 심지어 사치를 누리는 데 돈이 많은 것이 얼마나 보탬이 되는지 나는 도통 모르겠다.

오스트리아 공무원직에서 퇴직한 아버지는 연금과 상속 재산을 합쳐 이곳의 봉토와 거기에 딸린 부동산을 헐값에 매입했다.

더없이 아름답고 쓸쓸한 이곳은 약간 고지대에 자리 잡고 있으며 숲으로 에워싸여 있다. 아주 오래되고 비좁은 도로는 내가 있는 동안 한 번도 올려진 적 없는 가동교 앞까지 이어진다. 담수어로 가득한 해자에는 백조들이 떼를 지어 노닐고, 하얀 수련이 떠 있다.

그 너머로, 창문이 많은 슐로스의 정면과 누대 그리고 고딕 양식의 예배당이 보인다.

숲은 슐로스의 정문 앞에 이르러, 그림처럼 아름다운 오솔길로 구불거리며 펼쳐진다. 길은 계속해서 오른쪽의 가파른 고딕풍 다리를 지나는데, 다리 아래 어둠 속으로 숲을 관통하는 실개천이 굽이돌아 흐르고 있다.

아주 쓸쓸한 곳이라고, 앞에서 이미 말했다. 내 말이 사실인지는 직접 판단해보시길. 현관에서 도로를 바라보면 숲이 오른쪽으로 이십오 킬로미터, 왼쪽으로 이십 킬로미터까지 펼쳐져 있다. 사람이 사는 마을 중에서 가장 가까운 곳은 왼쪽으로 십일 킬로미터 떨어져 있다. 우리와 교류가 있는 슈필스도르프 장군의 슐로스는 오른쪽으로 삼십이 킬로미터쯤 떨어져 있다.

앞에서 '사람이 사는 마을 중에서 가장 가까운'이라고 표현한 까닭은 서쪽으로, 다시 말해 슈필스도르프 장군의 슐로스 방향으로 오 킬로미터쯤 떨어진 곳에 폐허가 된 마을이 하나 있기 때문이다. 그 마을에는 지붕이 없는 아담하고 기묘한 교회당이 있다. 교회당 측면 복도에 허물어져가는 묘지는, 지금은 몰락했으나 한때 울창한 숲속의 적막한 성에 살던 카렌슈타인 가문의 것으로 성은 이제 마을의 폐허를 말없이 굽어보고 있다.

마을이 그처럼 강렬하고 음울한 폐허가 된 이유에 대해, 그리고 그 전설에 대해서는 나중에 언급하게 될 것이다.

지금은 우리 성에 거주하는 아주 단출한 식솔들에 대해 말해야겠다. 하인이나 슐로스의 부속 건물에 거주하는 그들의 가족은 포함하지 않겠다. 내 얘기를 듣고 놀라지 마시길! 세상에서 가장 온화하신 분이건만 점점 쇠약해지시는 아버지, 그리고 그 일이 벌어진 당시 고작 열아홉 살이던 나. 어느덧 팔 년이 지난 그때, 슐로스의 가족 구성원은 나와 아버지였다. 스티리아 출신의 어머니는 내가 아주 어렸을 때 돌아가셨고, 그때부터 내 곁엔 훌륭한 여자 가정교사가 함께했다. 통통하고 넉넉한 얼굴이 낯설게 느껴진 때를 기억할 수 없는 그녀, 페로돈 부인은 베른 토박이로서 그분의 보살핌과 훌륭한 성품이 어머니의 빈자리를 메워주었다. 솔직히 너무 일찍 여읜 나는 어머니를 기억하지 못한다. 페로돈 부인이 우리의 단출한 저녁 식사에서 세 번째 구성원이었다. 네 번째 인물은 '교양 전담교사'라고 하면 얼추 맞을지 모르는 라퐁텐 양이었다. 그녀는 불어와 독어를, 페로돈 부인은 불어와 서툰 영어를 썼는데, 아버지와 나는 모국어를 잃어버릴지 모른다는 걱정 반 애국심 반으로 매일 영어로 말했다. 그 결과, 외지 사람이라면 폭소를 터뜨릴 만한 바벨탑의 혼란이 야기되었으나 여기서 굳이 상황을 재현하지는 않겠다. 그 밖에 거의 내 또래인 두세 명의 어린 여자 친구들이 이따금 우리 성을 방문해 사정에 따라 오래 혹은 짧게 머물렀으며, 방문의 보답으로 내가 그들을 찾아가기도 했다.

이 정도가 우리의 사회관계를 이루는 원천이었다. 물론 이십오 킬로미터쯤 떨어진 곳에서 '이웃들'이 방문할 때도 있기는 했다. 그럼에도 내 삶은 꽤 고독했다고 말하겠다.

홀아버지나 홀어머니가 매사 오냐오냐 키우는 바람에 버릇이 없는 여자 아이를 맡을 때 대부분의 현명한 사람들은 무척 엄하게 대하는데, 나의 가정교사들도 마찬가지였다.

생애 처음이자 결코 잊지 못할 그 끔찍한 사건은 유년 시절에 벌어졌다. 하도 하찮은 일이라 여기 기록해둘 필요도 없다고 생각하는 사람들이 있을지 모르겠다. 그러나 내가 왜 그 일을 언급하는지 조금씩 이해하게 될 것이다. 명색은 육아실이었지만 나 혼자 독차지한 커다란 방이 이층에 있었다. 경사가 가파른 참나무 지붕을 얹은 방이었다. 여섯 살이 채 되지 않은 당시, 한밤에 깨어난 나는 침대에서 방 안을 두리번거리다가 보모가 없다는 것을 알았다. 유모도 보이지 않았다. 나는 혼자였다. 신중한 배려 속에서 자란 덕분에, 나는 유령이나 요정 이야기를 비롯해 삐걱거리는 문소리에 머리를 감싸 안는다거나 촛불이 깜박거리는 것을 보고 벽면에 비친 침대 기둥의 그림자가 서서히 다가오는 느낌을 받는 전설 따위를 들어본 적이 없었다. 그렇게 마냥 행복한 아이였으니 무서울 것이 없었다. 그저 버려졌다는 생각에 성이 나고 기분이 나빴는데, 문득 침대 옆에서 나를 바라보는 아주 아름다운 얼굴을 발견했다. 무릎을 꿇은 젊은 여자는 두 손을 침대보 밑에 넣고 있었다. 나는 놀라면서도 반가운 마음으로 그녀를 바라보다가 칭얼거림을 멈췄다. 그녀는 손으로 나를 어루만지다가 내 옆에 눕더니, 미소를 머금고 나를 끌어안았다. 나는 금세 기분이 좋아져서 다시 잠들었다. 그런데 바늘 두 개가 가슴에 푹 박히는 느낌에 화들짝 깨어나서 자지러지게 울음을 터뜨렸다. 여자는 나를 빤히 바라보면서 흠칫 뒤로 물러서더니, 슬그머니 바닥으로 미끄러져 내려갔다. 내가 보기엔 침대 밑으로 숨는 것 같았다.

난생 처음 겁에 질린 나는 온 힘을 다해 소리를 질렀다. 유모와 보모, 가정부까지 내 방으로 뛰어 들어와 내 이야기에 귀를 기울였다. 그러고는 모두들 별일 아니라고 나를 달래느라 여념이 없었다. 그러나 어린아이였음에도, 나는 예사롭지 않은 그들의 불안한 표정과 창백해진 얼굴을 눈치 챌 수 있었다. 게다가 그들은 침대 밑을 들춰보더니, 방 안을 돌아다니며 탁자 밑을 흘깃거리거나 벽장문을 휙 잡아당기는 것이 아닌가. 그때 가정부가 유모에게 속삭였다.

"침대의 움푹 들어간 자리에 손을 대봐요. 누군가가 누워 있었던 게 분명해요. 아직 온기가 남아 있어요."

보모가 나를 토닥이는 동안, 내가 뭔가에 찔렸다고 말한 가슴 부분을 자세히 살펴본 세 사람은 이구동성으로 아무 흔적도 없다고 말했다.

가정부뿐만 아니라 육아실을 담당하는 하인 두 명이 모두 남아서 밤을 꼬박 새웠다. 그때부터 내가 열네 살이 될 무렵까지 하인이 한 사람씩 육아실에서 불침번을 서게 되었다.

그 일을 겪고 난 뒤 오랫동안 나는 극도로 예민한 상태였다. 늙고 창백한 의사가 나를 보러 왔다. 천연두로 얽은 자국이 있는 길고 음울한 의사의 얼굴과 밤색 가발을 나는 너무도 또렷이 기억한다. 그는 아주 오랫동안 이틀에 한 번씩 들러서 내게 약을 처방했는데, 나는 당연히 그 약을 질색했다.

유령을 본 다음날 아침, 잔뜩 겁에 질린 나는 대낮에도 잠시도 혼자 있질 못했다.

내 방에 올라온 아버지가 침대 옆에 서서 보모에게 상냥하게 이런저런 질문을 했고, 보모의 대답을 듣는 중에 기분 좋게 웃기도 했다. 그러고는 내 어깨를 토닥이고 뽀뽀를 하면서 한갓 꿈일 뿐이니 무서워할 것 없다고 말했다.

그러나 그 낯선 여인은 꿈이 아니라는 걸 알았기에 나는 안정을 얻지 못했다. 오히려 지독히도 무서웠다.

보모는 자기가 나를 보러 왔다가 침대에 누웠는데 내가 잠결에 그녀의 얼굴을 알아보지 못한 거라고 말했다. 그 말에 약간 마음이 놓이기는 했다. 그러나 유모까지 그 말을 거드는데도 나는 썩 그럴듯하다고 여겨지지 않았다.

그날, 검은 성복 차림의 노신부가 유모와 가정부를 앞세우고 내 방에 들러 아주 살갑게 말을 걸었다. 그분은 아주 온후한 표정으로 내 손을 잡더니, 기도를 하는 동안 이렇게 말하라고 일렀다.

"주님은 우리를 위해 그리고 그리스도를 위해 선한 기도를 모두 들어주시니."

이런 내용이었을 것이다. 그 뒤로 오랫동안 그 말을 혼자서 되뇌어왔거니와, 유모가 기도문과 함께 읊조리게 한 문장이었으니까.

투박하고 침침한 이층 방, 작은 격자창을 통해 그 어스레한 공간에 스며들던 빈약한 햇살과 삼백 년 전의 볼품없는 가구에 둘러싸인 검은 성복 차림의 백발노인, 그의 자애롭고 온후한 얼굴을 나는 또렷이 기억한다. 세 여인과 함께 무릎을 꿇은 그는 더없이 진지하게, 떨리는 음성으로 오랫동안 크게 소리를 내어 기도한 것 같다. 나는 그 일 이전의 기억을 송두리째 잃어버렸고 이후로도 얼마간의 시간이 어렴풋해졌으나, 방금 말한 장면만은 어둠에 둘러싸인 외딴 요술 등처럼 눈앞에 선하다.

제2장 손님

지금부터 하게 될 너무도 기이한 이야기를 있는 그대로 받아들이려면 나를 전적으로 신뢰해야 한다. 하지만 이런 전제를 떠나서 이 이야기는 사실일 뿐 아니라 내가 직접 목격한 것이다.

어느 쾌적한 여름 저녁, 앞에서 말했듯이 슐로스 정면에 펼쳐진 아름다운 숲을 따라 산책이나 나가자고 언제나처럼 아버지가 내게 청했다.

"슈필스도르프 장군이 생각처럼 빨리 오지 않는구나."

산책길에서 아버지가 말했다.

우리와 몇 주간 함께 시간을 보내기로 한 장군은 계획대로라면 다음날 도착할 예정이었다. 장군이 후견을 맡고 있는 라인펠트라는 조카딸도 동행하기로 되어 있었다. 그 젊은 아가씨를 한 번도 본 적은 없지만 매우 매력적인 아가씨라는 말을 익히 들어온 나는 내심 그녀와 만나기를 손꼽아 기다려오던 터였다. 내가 얼마나 낙담했는지를 도심에 사는 여자들이나 수다스러운 이웃들은 아마 상상도 하지 못할 것이었다. 장군의 이번 방문과 새로운 만남을 떠올리며 나는 몇 주 동안 공상에 잠겨 있었다.

"그럼 언제쯤 오신데요?"

내가 물었다.

"가을까지는 힘들어. 앞으로 두 달은 더 있어야 할 거야. 얘야, 네가 라인펠트 양을 본 적이 없어서 천만 다행이란다."

"왜죠?"

나는 분한 마음 반 호기심 반으로 물었다.

"그 가여운 아가씨가 죽었거든. 너한테 말해준다는 걸 깜박했구나. 오늘 저녁 장군의 편지를 받았을 때 네가 자리에 없었단다."

나는 큰 충격을 받았다. 슈필스도르프 장군이 육칠 주 전에 보낸 첫 편지에서 그녀의 건강이 썩 좋지 않다고 알려오긴 했지만, 위급하다는 일말의 암시도 없었다.

"여기, 장군의 편지다."

아버지가 편지를 건넸다.

"장군이 얼마나 상심하고 있을까 걱정이란다. 거의 정신이 나간 상태에서 편지를 쓴 것 같더구나."

우리는 커다란 보리수 아래, 투박한 벤치에 앉았다. 숲의 지평선 너머로 지는 태양은 온통 우울한 빛으로 물들어 있었다. 저택 옆으로 흐르는 시냇물이 앞에서 말한 가파르고 낡은 다리 밑을 지나 위풍당당한 나무 사이를 휘돌아, 우리 발치에서 열어진 진홍색 하늘빛을 비추었다. 내가 두 번에 걸쳐 읽어본 슈필스도르프 장군의 편지는 너무도 이상하고 격정적일 뿐만 아니라 군데군데 조리가 맞지 않았다. 두 번째는 큰 소리로 아버지께 읽어드렸지만, 슬픔으로 장군이 몹시 동요하고 있다는 짐작만 갈 뿐 편지 내용을 이해할 수는 없었다.

편지 내용은 이랬다.

"딸자식처럼 애지중지하던 아이를 잃고 말았네. 얼마 전까지 베르타의 병세가 위태로워 편지를 쓸 수 없었어. 그전까지는 아이의 병세가 그리 심한지 전혀 몰랐네. 그 아이를 잃고 나서야 모든 걸 깨달았건만, 때는 이미 늦었어. 더 축복받은 세상으로 갈 거라는 기대 속에서 아이는 천진하고 평화롭게 잠들었다네. 이 모든 것은 우리의 온갖 환대를 배반한 그 악마가 저지른 짓일세. 나는 그 악마가 죽은 베르타에게 순진하고 쾌활하며 매력적인 벗이 되어줄 거라고 생각했네. 맹세코! 나는 참 우둔한 인간이었어! 베르타가 병에 대한 의혹 없이 죽었으니 그나마 다행이네. 무슨 병에 걸렸는지, 이 모든 불행을 가져온 저주스러운 악마의 정체가 무엇이었는지 이렇다 할 억측이 없는 가운데 떠났으니까. 나는 그 괴물을 찾아 없애는 데 여생을 바칠 생각이네. 내가 정당하고 유익한 일을 해낼 수 있기를 바라네. 지금으로서는 어찌해야 할지 막막할 뿐이야. 내 우쭐한 냉소와 우월함에 대한 저속한 집착, 맹목과 독선이 얼마나 저주스러운지, 그것을 깨닫기엔 너무 늦고 말았네. 지금은 제대로 글을 쓰거나 말을 못 하겠어. 제정신이 아니거든. 조금이나마 마음을 추스른 뒤에 탐문에 매달릴 생각인데, 그러려면 비엔나까지 가야 할 것 같아. 오는 가을쯤, 그러니까 두 달 후에 행여 내가 살아 있다면 그보다 일찍 자네를 찾아가겠네. 물론 자네가 허락한다면 말이야. 그때 가서 지금은 차마 글로 쓸 수 없는 자초지종을 알려줌세. 그럼 이만 줄이겠네. 나를 위해 기도해주게, 친구."

기이한 편지는 그렇게 끝을 맺었다. 베르타를 한 번도 만난 적 없음에도 나는 그 갑작스러운 비보에 눈물을 흘렸다. 크게 낙담했을 뿐 아니라 몹시 놀랐던 것이다.

어느새 해가 저물었고, 내가 장군의 편지를 아버지에게 다시 돌려주었을 때는 땅거미가 져 있었다.

포근하고 상쾌한 저녁이었다. 우리는 격렬하고 두서없는 편지의 의미를 짐작해보면서 천천히 걸어갔다. 걸어서 천오백 미터쯤, 슐로스 앞으로 나 있는 도로에 다다랐을 때는 달빛이 밝게 빛나고 있었다. 유난히 밝은 달빛을 구경하려고 모자도 쓰지 않은 채 가동교에 나와 있는 페로돈 부인과 라퐁텐 양이 보였다.

그들과 가까워지자 활기차게 오가는 말소리가 들려왔다. 가동교에서 합류한 우리 네 사람은 아름다운 경치를 둘러보았다.

아버지와 내가 방금 걸어온 숲속의 오솔길이 눈앞에 펼쳐져 있었다. 왼쪽으로는 좁은 도로가 웅장한 나무 아래를 굽이굽이 줄달음치다가 울창한 숲속으로 시야를 벗어났다. 오른쪽으로도 똑같은 도로가 그림처럼 아름답고 가파른 다리를 지나, 한때 그 길목을 지키고 섰다가 지금은 부서진 망루 가까이 나 있었다. 그리고 다리 너머 불쑥 솟은 언덕에 울창한 나무와 회색빛 담쟁이덩굴로 뒤덮인 바위들이 보였다.

잔디와 낮은 구릉 너머로 옅은 안개가 투명한 베일의 흔적을 남기며 연기처럼 은밀히 다가왔다. 곳곳에서 강물이 달빛을 받아 희미하게 빛나고 있었다.

그보다 더 은은하고 감미로운 경치를 상상하기 어려울 정도였다. 좀 전에 접한 비보로 아름다운 경치에도 우울함이 스며들어 있었다. 그러나 깊은 고요와 매혹적인 미관, 은은한 전망을 방해할 만한 것은 없었다.

아버지가 감상을 즐기는 동안 나는 발아래 펼쳐진 풍경을 말없이 바라보았다. 우리 뒤에 약간 떨어져 있던 유능한 두 명의 가정교사는 경치와 달빛을 화제로 이야기가 한창이었다.

뚱뚱한 중년의 나이에 낭만적인 페로돈 부인은 시적으로 말하면서 한숨을 쉬기도 했다. 반면, 아버지 오른쪽에 서 있던 독일 출신의 정신적이고 형이상적이며 퍽 신비스러운 분위기의 라퐁텐 양은 지금처럼 강렬한 달빛이 익히 알려진 대로 특별하고 영적인 활동을 의미한다고 주장했다. 지금처럼 밝을 때는 보름달의 영향력이 배가되어, 꿈과 광기와 예민한 사람들에게 영향을 미치며 생명과 관련해서 놀라운 물리력을 행사한다고 말이다. 라퐁텐 양은 상선 항해사였다는 사촌의 얘기를 꺼냈다. 그날처럼 달 밝은 밤에 그녀의 사촌은 갑판에서 보름달을 향해 똑바로 누워 깜박 잠이 들었는데, 꿈속에서 어떤 노파가 그의 뺨을 마구 할퀴는 바람에 잠을 깼다고 했다. 깨어보니 그의 얼굴은 한쪽으로 흉측하게 일그러져 있었다. 그런데 그 뒤로도 얼굴은 원래대로 회복되지 않았다.

그녀가 말했다.

"오늘 밤, 달은 신비한 에너지와 자력으로 가득 차 있어요. 뒤돌아보세요. 슐로스의 정면을 바라보면 창문마다 은빛 광채로 번뜩이는 게 보이잖아요. 마치 보이지 않는 손이 상상의 손님을 맞기 위해 방마다 불을 환히 밝혀놓은 것처럼."

우리는 저마다 말을 하고 싶지 않을 만큼 나른한 상태에 빠져 있었고, 누군가 먼저 말을 꺼내면 그 목소리가 무심한 귓가로 아늑하게 울렸다. 그렇게 나는 가정교사들이 나누는 대화에 기분 좋게 취해서 경치를 바라보고 있었다.

"오늘 밤은 울적해질 수밖에 없겠지."

한동안의 침묵을 깬 아버지가 영어를 잊지 않는 방편으로 평소에 종종 큰 소리로 읊던 셰익스피어를 인용해 이렇게 덧붙였다.

> "솔직히 내가 왜 슬픈지 모르오.
> 그래서 지쳐버렸고, 당신은 당신까지 지치게 한다고 말했지.
> 도대체 어떻게 거기서 벗어나야 할까."

"나머지는 생각이 나지 않는군. 하지만 우리 주변에 뭔가 커다란 불행이 드리워진 느낌이야. 아마도 장군의 심란한 편지 때문이겠지."

그 순간, 길에서 생경한 마차 소리와 무수한 말발굽 소리가 들려와 우리의 주의를 잡아끌었다.

다리 너머 언덕에서 점점 가까워지는 소리 같았는데, 잠시 후 그 지점에서 마차와 말이 나타났다. 말 탄 사람 두 명이 먼저 다리를 건너왔다. 곧이어 말 네 필이 끄는 마차 한 대와 그 뒤로 또 두 사람이 말을 타고 나타났다.

지체 높은 사람의 여행 마차 같았다. 우리 넷은 보기 드문 진풍경을 정신없이 바라보았다. 더욱 진기한 광경이 연출된 것은 잠시 후였다. 마차가 가파른 다리의 꼭대기를 막 통과하는 찰나, 선두마를 탄 사람 하나가 겁에 질려 뒤쪽에다 뭐라고 위험 신호를 보냈다. 그러나 후방의 행렬 전체는 한두 차례 덜커덕거리더니 선두마 사이로 곤두박질치며 우리를 향해 질풍처럼 다가오기 시작했다.

아슬아슬한 광경을 더욱 애처롭게 만든 것은 마차에서 들려온 여자의 또렷하고 기다란 비명 소리였다.

우리는 호기심 반 두려움 반으로 다가갔다. 말없는 아버지를 제외하고 나머지는 겁에 질려 저마다 괴성을 지르고 있었다.

우리의 긴장감은 오래가지 않았다. 성의 가동교에 이르기 직전, 그러니까 그들이 달려오는 길 한쪽에는 커다란 보리수가, 다른 쪽에는 낡은 돌 십자가가 세워져 있었다. 그리고 그 지점에서 완전히 겁에 질린 말들이 길에서 벗어나는 바람에 마차 바퀴가 돌출한 나무뿌리에 걸리고 말았다.

무슨 일이 벌어질지는 뻔했다. 나는 눈을 가리고 고개를 돌려버렸다. 그 순간, 약간 앞쪽에 있던 가정교사들이 비명을 질렀다.

호기심에 눈을 떠보니 아수라장이 따로 없었다. 말 두 필이 멈춰 선 가운데, 마차는 옆으로 쓰러져 있었다. 남자들이 마차에서 말을 떼어내려고 안간힘을 쓰는 동안, 도도한 분위기의 귀부인이 마차에서 나와 두 손을 그러잡고는 손수건으로 연신 눈가를 훔쳤다. 그때 마차 밖으로 죽은 듯이 보이는 젊은 여자가 끌어올려졌다. 인자한 아버지는 벌써 노부인 곁으로 다가가 인사를 건넨 후, 근처에 슐로스가 있으며 도와주고 싶다는 의사를 전하는 모양이었다. 노부인은 아버지의 말을 귀담아듣는 것 같지 않았고, 둔덕에 눕힌 가녀린 아가씨에게 정신이 팔려 있는 듯했다.

나는 그쪽으로 다가갔다. 젊은 여자는 의식이 없었지만 죽은 것 같지는 않았다. 의술에 정통하다고 자처하는 아버지가 젊은 여자의 맥을 짚어보고는 그녀의 어머니라고 밝힌 노부인에게 약하고 불규칙하지만 맥이 뛰고 있으니 걱정 말라고 안심시켰다. 노부인은 두 손을 그러잡고 감사를 드리듯 하늘을 올려다보았다. 그러나 이내 과장된 몸짓으로 손을 풀었는데, 아무나 그런 몸짓이 어울리는 건 아니라고 생각한다.

노부인은 한창때에 기품 있는 대단한 미인이었을 것이 틀림없었다. 큰 키에 마르지 않은 체구, 검은 벨벳 옷차림, 약간 창백해 보이는 얼굴에 묘한 동요의 기색이 보임에도 자부심과 위엄이 느껴지는 용모였다.

"이토록 불행한 운명을 타고 태어났던가?"

내가 다가갔을 때, 두 손을 마주잡은 그녀의 목소리가 들려왔다.

"생사를 다투는 여정이건만 이런 일이 생기다니. 한 시간만 지체해도 모든 걸 잃게 될 텐데. 내 딸이 회복된다 해도, 언제 끝날지도 모르는 여정에 다시 오를 수는 없을 터. 딸아이를 두고 가야 해. 지체할 수는 없어. 선생, 가장 가까운 마을이 어디쯤인가요? 딸아이를 그곳에 맡겨두고 떠나야겠어요. 앞으로 석 달, 내가 돌아올 때까지는 딸아이를 볼 수도 소식을 들을 수도 없답니다."

나는 아버지의 외투 자락을 잡아끌며 간절히 속삭였다.

"아빠! 저애가 저랑 함께 있게 해달라고 말씀해보세요. 그러면 무척 기쁠 거예요. 어서요, 아빠."

"부인께서 따님을 저의 여식과 훌륭한 가정교사인 페로돈 부인에게 맡겨주시고 돌아오실 때까지 제 책임 하에 손님으로 머물게 해주시는 것은 저희에게 영광이자 당연한 의무일 것입니다. 그렇게 하신다면 신의를 저버리지 않도록 온 정성을 다해 따님을 보살피겠습니다."

"그럴 수 없습니다, 선생. 귀하의 친절과 기사도를 이용해서 너무도 혹독한 짐을 떠맡기는 셈이니까요."

부인이 황망히 말했다.

"아니, 오히려 따님을 맡겨주시는 것이 저희에게 더없는 친절입니다. 그리 해주시기를 절실히 원하는 쪽은 저희니까 말입니다. 저의 여식은 조금 전 잔인한 운명 때문에 크게 낙심한 터입니다. 오래도록 손꼽아 기다려온 지인의 방문 약속이 참사로 어긋나고 말았습니다. 부인이 따님을 저희에게 맡겨주신다면 저의 여식에게는 최고의 위안이 될 겁니다. 가시는 길목에서 가장 지척에 있는 마을도 거리가 먼데다 따님을 맡기실 여인숙 같은 숙박 시설도 없습니다. 무엇보다 따님은 여기서 더 이동하는 것 자체가 무리입니다. 말씀대로 여행을 지체할 수 없는 상황이라 오늘 밤 따님과 헤어져야 한다면, 이곳보다 더 정성을 다해 따님을 보살필 수 있는 곳은 찾기 어려울 겁니다."

수행원들의 위엄 있는 면면이 아니더라도, 고압적이고 매혹적인 자태에서 꽤 지체 높은 사람이라는 인상을 강하게 풍기던 부인의 태도와 표정에 눈에 띄는 변화가 나타났다.

그때쯤 마차가 바로 세워졌고 마구도 정비되었다.

부인은 자신의 딸을 한번 힐긋 쳐다보았는데, 처음에 예상한 것과는 달리 썩 애정 어린 시선은 아니었다. 곧이어 부인은 내 아버지에게 슬쩍 손짓을 하고는 말소리가 들리지 않게 두세 걸음 자리를 옮겼다. 아버지에게 무슨 말인가를 건네는 그녀의 엄숙한 표정이 지금까지와는 또 사뭇 달랐다.

아버지가 부인의 변화를 눈치 채지 못한 것은 아닐까 의구심이 들었다. 게다가 부인이 몹시도 절박하게 아버지의 귓가에 속삭이듯 말하는 내용이 대체 무엇일까 궁금해서 안달이 날 정도였다.

부인이 아버지와 이야기를 나눈 시간은 고작 이삼 분 정도였던 것 같다. 그녀는 곧 돌아서서 페로돈 부인의 부축을 받고 있는 딸에게 다가왔다. 그녀가 딸의 곁에 잠시 무릎을 꿇고 속삭이는 동안, 가까이 있던 페로돈 부인은 언뜻 그녀의 말을 주워들을 수 있었다. 잠시 후 그녀는 서둘러 딸에게 입을 맞추고는 마차에 올랐다. 마차 문이 닫힌 뒤 위풍당당한 제복 차림의 마부들이 올라타자, 선두마들이 땅을 박찼고 기수장(騎手長)의 채찍질에 뒷발을 쳐든 말들이 또 한번의 질주를 예고하듯 맹렬한 기세로 마차를 끌기 시작했다. 단숨에 멀어지는 마차를 따라 후방의 호위마들이 다급히 그 뒤를 따랐다.

제3장 과거를 주고받다

우리가 지켜보는 가운데 수행원들의 모습은 안개 낀 숲속으로 재빨리 사라져갔다. 말발굽과 마차의 바퀴 소리도 고요한 밤공기 속에서 희미해졌다.

그 순간 눈을 뜬 젊은 여자가 없었더라면 그들의 출현은 홀연히 나타났다가 사라지는 신기루처럼 느껴졌을 것이다. 나는 그녀의 뒤쪽에 있던 터라 그녀의 얼굴을 보지 못했으나, 주위를 두리번거리듯 고개를 든 그녀가 아주 낭랑한 목소리로 토라져 묻는 소리를 들을 수 있었다.

"엄마는 어디 있죠?"

마음씨 고운 페로돈 부인이 살갑게 대답하고 몇 마디 위안의 말을 덧붙였다.

곧이어 그녀가 또다시 말했다.

“여기가 어디죠? 어디예요? 마차가 보이지 않네요. 마츠카는요?”

페로돈 부인은 아는 데까지 아가씨의 질문에 답해주었다. 그녀는 조금씩 사고가 난 순간을 기억해냈고, 쓰러진 마차에 시종을 비롯해 아무도 타고 있지 않았다는 말을 듣고 기뻐했다. 그리고 어머니가 돌아올 때까지 석 달가량 이곳에 남아 있어야 한다는 말에 울먹이기 시작했다.

내가 페로돈 부인처럼 위로의 말을 건네려고 다가가려는데 라퐁텐 양이 내 팔을 붙잡고 말했다.

“가지 마. 아직 여러 사람과 말을 하기는 무리야. 조금만 흥분해도 견디기 어려운 상태야.”

그래서 나는 그녀가 침대에 편히 자리를 잡자마자 그녀의 방으로 뛰어올라갈 거라고 마음먹었다.

그동안 아버지는 십 킬로미터쯤 떨어진 곳에 사는 의사를 불러오라고 하인을 보냈다. 그리고 아가씨를 위한 침실이 준비되었다.

몸을 일으킨 이방인은 페로돈 부인의 부축을 받으며 천천히 가동교를 건너 성의 정문을 지나갔다.

하인들이 현관에 대기 중이었고, 아가씨는 곧장 그녀의 방으로 안내되었다.

우리가 평소 응접실로 사용하는 그 방은 창문이 네 개인 기다란 공간으로, 해자와 가동교 너머로 방금 말한 숲이 보였다.

방에는 오크로 짠 낡은 가구와 커다란 진열장, 위트레흐트산 벨벳으로 쿠션을 댄 의자들이 있었다. 태피스트리로 장식된 벽면마다 걸린 커다란 금빛 액자에 예스럽고 아주 독특한 옷차림의 사람들이 실물 크기로 그려져 있는데, 그림의 주제는 수렵과 매 사냥, 축제가 대부분이었다. 그다지 불편할 정도로 으리으리한 방은 아니었다. 우리는 평소 그 방에 앉아서, 커피와 초콜릿에는 항상 차를 곁들여야 한다는 아버지의 애국적인 취향과 지론을 따랐다.

그날 밤 촛불이 밝혀진 그 방에서 우리는 좀 전에 겪은 사건을 화제로 삼았다.

여느 때처럼 페로돈 부인과 라퐁텐 양도 함께했다. 그들은 침대에 눕자마자 곤히 잠든 젊은 이방인을 하인에게 맡기고 우리와 동석했다.

"손님은 괜찮나요? 뭐든 말해봐요, 네?"

나는 페로돈 부인에게 다짜고짜 물었다.

"그 아가씨가 무척 마음에 들어. 내가 본 사람 중에서 가장 예쁜 것 같아. 너랑 같은 또래인데, 무척 얌전하고 상냥하거든."

"정말 예쁘게 생겼더라고요."

이방인의 침실 쪽을 흘깃거리던 라퐁텐 양이 불쑥 말했다.

"목소리는 또 얼마나 낭랑한지!"

페로돈 부인이 덧붙였다.

"혹시 마차에 탄 여자, 그러니까 마차가 제대로 세워진 후에도 나오지 않던 그 여자 봤어요? 마차 창밖을 내다보고 있었잖아요?"

라퐁텐 양이 물었다.

"아니, 못 봤는걸."

라퐁텐 양에 따르면, 머리에 유색 터번을 두르고 줄곧 창밖을 내다보았다는 오싹한 여자가 마차에 타고 있었다. 그 여자는 귀부인과 그녀의 딸을 향해 비웃듯 고개를 끄덕였는데, 허옇게 부릅뜬 눈동자를 이글거리며 격분한 듯 이를 앙다물고 있었다는 것이다.

페로돈 부인이 물었다.

"수행원 같은 남자들, 표정 한번 고약하지 않았어?"

그때 막 방에 들어선 아버지가 말했다.

"맞아요. 내 평생 그렇게 역겹고 비열해 보이는 사람들은 처음이었소. 놈들이 숲에서 가여운 그 부인에게 강도짓을 하지는 않을까 걱정이오. 놈들은 노련한 악한들이에요. 순식간에 사고 현장을 수습해놓은 걸 보면."

"어쩌면 장시간의 여행에 지쳐 있었을지 몰라요. 인상이 험악해 보일 뿐 아니라 얼굴이 죄다 이상할 정도로 여위고 검은 데다가 음침했거든요. 저도 무척 궁금해지네요. 아가씨가 내일 기력을 어느 정도 회복한다면 우리한테 전부 말해주지 않을까 싶군요."

"내 생각에는 말해주지 않을 거요."

아버지는 뭔가 비밀을 알고 있다는 듯 뜻 모를 미소를 머금고 살짝 고갯짓까지 하면서 말했다.

그러자 우리는 아버지와 검은 벨벳 옷차림의 부인 사이에 무슨 이야기가 오갔는지, 부인이 떠나기 직전에 나눈 짤막하면서도 진지한 대화가 무엇인지 더욱 궁금해졌다.

그냥 넘어갈 분위기가 아니어서 내가 아버지에게 말해달라고 졸랐다. 아버지는 그리 오래 뜸을 들이지는 않았다.

"딱히 말 못 할 이유도 없지. 딸아이를 우리에게 맡겨 폐를 끼칠까 주저하더구나. 딸이 약하고 예민하다고 말이다. 하지만 발작을 일으키거나 환영을 보는 건 아니라고, 내가 묻지 않았는데도 그리 말하더구나. 지극히 정상적이라고 말이야."

"그게 다라니 말도 안 돼요! 들으나마나한 얘기잖아요."

내가 끼어들었다.

"그게 전부였는걸."

아버지가 웃으며 말을 이었다.

"시시콜콜 알고 싶다니 정말 하찮은 내용까지 말해주마. 부인이 이렇게 말하더구나. '비밀리에, 생사가 달린 다급하고도 먼 여행을 떠나야 합니다. (비밀리에, 그리고 생사가 달렸다는 말을 강조했지.) 석 달 뒤에 딸아이를 데리러 올 겁니다. 그동안 딸아이는 우리가 누구며 어디서 왔는지 그리고 어디로 가는 중이었는지 일체 함구할 겁니다.' 그 말이 전부였어. 완벽한 불어로 말이지. '비밀리에'라고 말할 때 부인은 잠시 말을 끊고 엄숙한 표정으로 나를 빤히 바라보더구나. 아마 그 말을 강조하고 싶었던 모양이야. 부인이 곧장 떠난 건 너도 봤을 테고. 저 아가씨를 보살피는 동안 아빠는 긁어 부스럼 만드는 일은 하고 싶지 않구나."

나는 기분이 좋아졌다. 무엇보다 그 여자와 마주보고 말하고 싶었다. 의사가 와서 허락할 때까지 기다리면 될 일이었다. 도시에 사는 사람들은 이토록 적적한 곳에서 새 친구를 사귄다는 것이 얼마나 엄청난 사건인지 알 리가 없다.

의사는 한 시가 가까워오는데도 도착하지 않았다. 나는 잠들지 못했다. 차라리 검은 벨벳의 여왕이 탄 마차를 걸어서 좇아가는 편이 낫겠다는 생각이 들 정도였다.

의사가 환자를 진찰한 결과는 아주 긍정적이었다. 아가씨는 지금 일어나 있으며 맥박도 정상이고 완전히 회복된 상태로 보인다고 했다. 아무런 부상도 없고 경미한 심리적 쇼크 상태에서도 이미 회복했다고 말이다. 그녀가 동의한다면 내가 그녀를 만나는 데 아무런 문제도 없다는 의견이었다. 의사의 말을 듣고 나는 즉시 하인을 보내 그녀가 몇 분만 나와 만날 수 있는지 의향을 물어보게 했다.

하인이 곧장 돌아와서, '자신도 원하는바'라는 그녀의 말을 전했다.

나는 꾸물거릴 이유가 없었다.

우리의 손님이 묵고 있는 방은 슐로스에서 가장 멋진 방 가운데 하나였다. 약간 웅장한 느낌이라고 해도 무방할 것이다. 침대 아래쪽 맞은편 벽면은 독사를 가슴에 안은 클레오파트라가 수놓인 수수한 태피스트리로 장식되어 있었다. 나머지 벽면의 태피스트리 장식에도 엄숙한 고전의 장면들이 약간 색이 바랜 상태로 담겨 있었다. 황금 조각상을 비롯하여 풍부하고 다양한 색깔의 다른 장식물들도 눈에 띄었는데, 낡은 태피스트리의 어두운 분위기를 상쇄하기에 충분했다.

침대 머리맡에 촛불이 밝혀져 있었다. 그녀는 일어나서 침대에 앉아 있었다. 두터운 퀼트용 비단으로 안을 대고 꽃무늬를 수놓은 비단 실내복의 매끄러운 표면을 따라 날씬하고 아름다운 몸매가 드러났다. 그녀가 쓰러져 있을 때 귀부인이 그녀의 발에 덮어준 옷이었다.

그런데 침대 곁으로 다가선 내가 살며시 인사를 건네려다가 일순 말문이 막혀 그녀 앞에서 한두 걸음 움찔 물러선 것은 왜일까? 지금부터 그 이유를 말하겠다.

내가 본 것은, 어린 시절의 어느 밤엔가 나를 찾아온 그 얼굴이었다. 내 기억에 착 달라붙어서 오랫동안 남몰래 두려움 속에서 반추하게 한 그 얼굴 말이다.

예쁘고 아름다운 얼굴이었다. 내가 기억하는 우울한 표정까지 그대로였다.

그러나 이번에는 나를 알아보는 듯하면서도 기묘하게 굳은 미소가 얼굴에 떠올랐다.

일 분간 숨 막히는 침묵이 지나고, 마침내 그녀가 입을 열었다. 나는 여전히 말문이 막혀 있었다.

"신기하기도 해라!"

그녀가 소리쳤다.

“십이 년 전, 꿈에서 네 얼굴을 봤어. 그날부터 지금까지 계속 떠오르는 얼굴.”

“정말 신기하네!”

말문이 막혀 있던 나는 두려움을 떨쳐버리고 맞장구쳤다.

“십이 년 전, 꿈인지 생시인지 분명히 너를 봤어. 도저히 잊을 수 없는 얼굴. 그날부터 눈앞에 어른거렸으니까.”

그녀의 미소가 부드러워졌다. 방금 전에 느낀 기이함은 사라졌고, 보조개 팬 두 뺨이 미소와 더불어 아름다움과 지적인 분위기로 화사해졌다.

안도감을 느낀 나는 진심으로 반색하면서 예기치 못한 그녀와의 만남이 우리 모두에게 큰 기쁨이며 특히 내게는 굉장한 행운이라고 말했다.

나는 말하는 동안 그녀의 손을 잡았다. 외로이 사는 사람들이 그렇듯이 나는 숫기가 없는 편이었지만, 당시에는 분위기에 취해 말도 잘하고 대담해져 있었다. 그녀는 내 손을 지그시 마주잡고는 반짝이는 눈빛으로 서둘러 내 눈을 바라보았다. 그러고는 또 미소를 짓다가 얼굴을 붉혔다.

그녀는 아주 상냥하게 내 인사에 화답했다. 나는 여전히 의아한 마음으로 그녀의 곁에 앉았다. 그녀가 말했다.

“내가 전에 널 봤다고 했는데, 그 얘기를 해야겠어. 우리가 서로를 꿈에서 그토록 생생하게 봤다니, 게다가 지금처럼 나는 너를 그리고 너는 나를 마주보고 있었다니 정말이지 신기한 일이야. 물론 우리 둘 다 어렸을 때 얘기지만. 내가 여섯 살 때였을 거야. 뒤죽박죽 이상한 꿈에서 깨어보니 낯선 방 안에 나 혼자 있더라. 거무스름한 나무로 엉성하게 댄 징두리 벽을 따라 벽장과 침대, 의자 따위가 있는 그런 방이었어. 침대는 모두 비어 있는 것 같았고 방 안에는 나 혼자뿐이었어. 주변을 두리번거렸는데 특히 대가 두 개인 쇠 촛대를 한참동안 멍하니 바라보았어. 그러다 창가로 가려고 침대 밑으로 기어들었지. 그런데 침대 밑에서 나왔을 때 울음소리가 들려와서 엎드린 채 위를 올려다봤어. 너였어. 하늘에 맹세코 지금처럼 너를 본 거야. 네 얼굴에서 눈을 뗄 수 없었어. 침대로 올라가 너를 껴안았고, 아마 그렇게 둘이서 잠이 든 것 같아. 그런데 비명 소리에 잠을 깼어. 네가 일어나 앉아서 비명을 지르고 있더라. 나는 겁에 질려서 살그머니 바닥으로 내려왔다가 잠시 정신을 잃은 것 같아. 정신을 차려보니 내 방에 있더라고. 그날 이후 네 얼굴을 한 번도 잊은 적 없어. 비슷하게 생긴 얼굴 중에서도 딱 집어낼 수 있을 정도로. 그때 내가 본 여자 아이, 바로 너야."

이번에는 내가 겪은 일을 말했고, 그동안 새로운 친구는 놀란 표정을 숨기지 않았다.

그녀가 또다시 미소를 짓고 말했다.

"누가 더 무서워했는지 잘 모르겠네. 네가 덜 예뻤더라면 아마 무척 무서웠을 테지만 너는 지금처럼 예뻤거든. 게다가 우리 둘 다 어렸잖아. 나는 그냥 십이 년 전에 너를 만나서 진작부터 친구로 지낸 느낌이 들어. 좌우간 우린 어렸을 때부터 운명적으로 친구가 될 수밖에 없었나봐. 나는 너한테 이상하게 끌리는 느낌인데, 너도 그런지 모르겠어. 나는 지금까지 친구가 한 명도 없었는데 지금 생긴 건 아닐까?"

그녀는 한숨을 쉬었다. 맑고 까만 눈동자가 나를 간절히 바라보았다.

그녀에 대한 내 감정도 다르지 않았다. 그녀의 말처럼 "끌리는 느낌"이었지만, 동시에 왠지 반감 같은 것이 들기도 했다. 그러나 불분명한 감정 속에서도 가장 또렷한 것은 상대방에 대한 호감이었다. 그녀는 내게 관심을 보이며 친구가 되기를 원했다. 너무도 아름답고 형언하기 어려울 정도로 매력적인 여자가.

잠시 후 그녀에게서 나른하고 피로한 기색을 느낀 나는 서둘러 잘 자라는 인사를 건네며 이렇게 덧붙였다.

"의사 선생님이 그러는데, 오늘 밤은 너를 지켜봐줄 하인이 함께 있어야 한대. 그 하인이 기다리고 있어. 아주 유능하고 조용한 사람이라 네 마음에 들 거야."

"정말 고마워. 하지만 나는 방에 다른 사람과 함께 있으면 잠을 못 자. 하인은 없어도 돼. 솔직히 말해서, 나는 강도를 무서워해. 우리 집에 강도가 든 적이 있는데 하인 두 명이 살해당했어. 그래서 난 언제나 방문을 잠그고 자는 버릇이 생겼어. 정말 고맙지만 나를 이해해주겠지? 문구멍에 열쇠가 꽂혀 있는 걸 봐두었거든."

그녀는 아름다운 두 팔로 나를 꼭 껴안고 귓가에 속삭였다.

"잘 자렴, 얘야. 너랑 떨어지기는 싫지만, 내일 보자. 일찍은 힘들겠지만, 다시 보는 거야."

그녀는 한숨을 쉬며 베개에 기댔다. 다정하고 우울한 눈빛으로 나를 바라보던 그녀가 또 한번 중얼거렸다.

"잘 자, 내 친구."

젊은 사람들은 충동적으로 서로를 좋아하고, 심지어 사랑한다. 별일도 아니었건만 그녀가 내게 보여준 호감에 나는 우쭐해졌다. 단번에 나를 믿고 친구로 받아들인 그녀가 좋았다. 우리가 서로 소중한 친구가 될 운명이었다고 그녀도 말했잖은가.

다음날 우리는 다시 만났다. 그 친구와 함께 있어서 나는 즐거웠다. 그러니까, 모든 점에서 말이다.

한낮에 본 그녀의 얼굴은 변함없이 내가 아는 어느 누구보다 아름다웠다. 어린 시절 꿈에서 본 얼굴과 닮아 불쾌했던 처음의 느낌은 사라지고 없었다.

그녀도 나를 처음 본 순간 비슷한 충격을 받았으며 호감과 동시에 묘한 반감을 느꼈다고 털어놓았다. 우리는 잠시나마 서로 무서워했다는 사실에 함께 웃음을 터뜨렸다.

제4장 그녀의 습관, 산책

앞에서 나는 모든 점에서 그녀에게 매력을 느낀다고 말했다. 썩 달갑지 않은 부분이 있기는 했다.

그녀는 여자의 평균보다 키가 큰 편이었다. 그녀를 묘사하자면 이렇다. 날씬하고 기막힐 정도로 우아했다. 움직임이 나른하다는—솔직히 아주 나른하다는—것 외에, 그녀의 외모에서 병자의 흔적은 조금도 찾을 수 없었다. 피부는 곱고 맑았다. 호리호리하면서도 아름다운 몸매, 반짝이는 검은색의 커다란 눈. 엄청나게 숱이 많은 머리카락은 어깨까지 길게 드리워졌는데, 내가 본 머릿결 중 최고였다. 나는 자주 그녀의 머리칼을 만지다가 깃털처럼 가벼운 느낌에 놀라 웃음을 지었다. 더없이 섬세하고 부드러울 뿐 아니라, 짙은 갈색에 금빛이 도는 머릿결이었다. 나는 자연스레 흘러내린 그녀의 머릿결이 찰랑거리는 것이 좋았다. 그녀가 의자에 등을 기댄 채 낭랑한 목소리로 말을 하는 동안, 나는 그녀의 머리를 땋았다가 풀어헤치며 장난을 쳤다. 휴우! 내가 모든 걸 알고 있었더라면 얼마나 좋았을까!

위에서 말한 대로, 어떤 것은 달갑지 않았다. 나는 처음 만난 밤, 그녀가 나를 믿어주고 친구로 받아준 데 감동했다고 말했다. 그러나 그녀는 그녀 자신과 어머니, 자신의 이력 등등 자기 삶이나 장래, 지인들에 관련된 것은 무엇이든 철저히 함구했다. 내가 변덕을 부리거나 잘못 생각한 것이라고 해도 할 말이 없다. 나는 아버지와 검은 벨벳 옷을 입은 귀부인 사이에 오간 엄숙한 금기의 약속을 존중해야 했다. 그러나 호기심이라는 놈은 좀처럼 가라앉지 않는 고약한 열정인지라, 자꾸 억눌린다면 어떤 처녀도 무던하게 참고만 있지는 못하는 법이다.

내가 그토록 알고 싶어 하는데 그걸 말해준다고 누군가에게 해가 될 것도 없잖은가? 혹시 나를 믿지 못해서일까? 들은 이야기를 입도 뻥긋 않겠다고 맹세를 했건만 왜 나를 믿으려 들지 않는 걸까?

그녀의 우울한 미소에 담긴 나이답지 않은 냉정함 때문에 나는 일말의 기대조차 품지 못했다.

그 문제로 우리 사이에 다툼이 있지는 않았다. 그녀는 어떤 일로든 싸움을 하지 않았으니까. 물론 그녀를 자꾸 다그치는 것은 경우 없고 무례한 짓이었지만, 어쩔 도리가 없었다. 게다가 물어본들 달라지는 것도 없었다.

공정한 평가는 아니지만 그녀가 한 말을 다 합해도 나는 얻은 것이 전혀 없었다.

그녀의 모호하기 짝이 없는 이야기는 세 가지로 요약된다.

첫째, 그녀의 이름은 카르밀라.

둘째, 아주 유서 깊은 귀족 가문 출신이다.

셋째, 집은 서쪽에 있다.

가문이나 문장(紋章), 사유지, 심지어 사는 마을의 이름까지 그녀는 말해주려고 하지 않았다.

내가 그 문제로 끊임없이 그녀를 성가시게 했다고 생각하면 오산이다. 다그쳐 묻기보다는 교묘하게 기회를 엿보았으니까. 솔직히 말해서 한두 번 직설적으로 물은 적이 있기는 했다. 그러나 내가 무슨 수를 써도 결과는 매한가지였다. 으르고 달래고, 어떤 방법도 효과가 없었다. 그러나 그녀가 대답을 회피하는 방식은 너무도 구슬프고 애원에 가까우리만큼 상냥했다. 나를 좋아한다고 무수히 그것도 열렬히 말하면서 내가 결국에는 모든 것을 알게 될 거라고 약속했다. 그랬기에 그녀 때문에 마음이 상했다 해도 내가 그것을 마음에 오래 담아두지 않았음을 여기서 덧붙여야겠다.

그녀는 종종 내 목을 끌어안고 뺨을 부비면서 귓가에 이렇게 속삭였다.

"얘, 마음이 상했구나. 내 정신력과 심약함 때문에 어쩔 수 없이 지켜야 할 것이 있다고 해서 나를 잔인하다고 생각지는 말아줘. 너의 어여쁜 마음이 상처를 받으면 내 거친 마음에도 피가 난단다. 너의 따스한 삶 속에서 나는 굴종하며 사는 황홀을 맛봐. 너도 내 안에서 죽을 거야. 달콤하게 죽을 거야. 어쩔 수 없단다. 내가 네게 가까이 다가갈수록 너는 다른 이에게 가까워질 거야. 그렇게 사랑인 동시에 잔인한 환희를 배우는 거지. 한동안은 나와 내 것에 대해 더 알아내지 못할 거야. 하지만 사랑스런 네 영혼으로 나를 믿어주렴."

그렇게 열정적으로 말할 때면 그녀는 떨리는 손길로 나를 더 세게 껴안고는 부드럽게 내 뺨에 입을 맞추었다.

그녀가 왜 그리도 흥분하는지, 대체 무슨 말을 하는 것인지 나는 이해하지 못했다.

그리 흔한 일은 아니었지만 그렇게 멋쩍은 포옹이 있을 때마다 나는 어쩔 수 없이 그녀의 손길에 따르면서도 거기서 벗어나고 싶었다. 그러나 맥이 풀려서 그러지도 못했다. 귓가에 자장가처럼 전해지는 그녀의 속삭임이 도망치려는 나를 황홀경으로 이끌었고, 언제나 그녀가 팔을 놓아주고 난 뒤에야 정신을 차렸다.

그처럼 야릇한 분위기에서는 그녀가 싫어졌다. 때때로 기이하면서도 격렬한 쾌락의 흥분, 그리고 막연한 공포와 혐오심이 뒤섞이는 기분이 들기도 했다. 그런 기분이 지속되는 동안은 그녀에 대해 제대로 생각할 수 없었지만, 애정이 점점 커져 숭배가 되고 혐오가 되는 것이 느껴졌다. 그것이 모순임을 알지만 나는 그때의 감정을 달리 설명할 길이 없다.

십 년도 더 지난 지금, 나는 떨리는 손으로 글을 쓰고 있다. 나도 모르게 지나쳐온 시련 속의 사건과 상황들을 혼란하고 무서운 기억 속에서 끄집어내면서 말이다. 물론 내 이야기의 큰 줄기가 되는 사건과 상황들은 아주 생생하고 예리하게 떠오르지만……. 누구에게나 가장 격렬한 감정 속에서 경험한 일들은 생생히 기억하는 반면, 나머지는 극히 희미하고 어렴풋해지는 경험이 있을 것이다.

기이하고 아름다운 내 친구는 한 시간 내내 냉담하다가도 어느새 내 손을 잡고 다정히 어루만질 때가 있는데, 그때는 좀처럼 손을 놓아주지 않았다. 약간 홍조를 띤 얼굴, 나를 황홀히 쳐다보는 나른하면서도 이글거리는 눈빛, 드레스가 살랑거릴 만큼 가쁜 숨결. 그것은 연인의 열정과도 같아서 나를 당혹하게 했다. 혐오스러웠지만 거부할 수 없었다. 그녀는 흡족한 눈빛으로 나를 끌어당기고 뜨거운 입술로 내 뺨 구석구석 입을 맞추었다. 그리고 거의 흐느낌에 가깝게 속삭였다.

"너는 내 거야. 내 것이어야 해. 너와 나는 영원히 하나야."

그러고는 의자에 털썩 주저앉아 자그마한 손으로 눈가를 짚었다. 그때마다 나는 떨고 있었다.

나는 종종 이렇게 물었다.

"우리가 그 정도로 가까운 사이야? 대체 그게 무슨 소리야? 마치 사랑하는 사람에게 하는 말 같잖아. 그러지 마, 싫어. 나는 널 몰라. 네가 그런 표정으로 이상한 말을 할 때면 내가 누구인지도 모르겠단 말이야."

내가 발끈할 때면 그녀는 한숨을 쉬며 나를 외면하고는 내 손을 놓아주었다. 나는 무척 유별난 그녀의 표현을 곱씹으며 나름으로 해석을 해보려 애썼지만 헛수고였다. 그녀의 말이 부러 꾸며낸 것이나 속임수라고 단정할 수는 없었다. 그것은 억눌린 본능과 감정에서 불쑥 튀어나온 말이 틀림없었다. 그녀의 어머니는 부인했다지만 혹시 그녀는 간간이 광기에 사로잡히는 것은 아닐까? 아니면 기만이나 모종의 사연이라도 있는 것일까? 오래된 동화책에서 그런 것을 읽은 적이 있었다. 혹시 사랑에 빠진 순진한 남자가 늙고 노련한 모사꾼의 도움을 받아 변장을 하고 이 집에 들어온 것은 아닐까? 그러나 그런 이야기는 내 허영을 채워줄 수는 있어도 여러모로 이치에 맞지 않았다.

남성적인 무용담이 선사하는 즐거움 따위에는 조금도 관심이 없다고 나는 자랑스레 말할 수 있었다. 그런 열정의 순간이 지나고 나면 우리 둘 사이에는 꽤 오랫동안 상식적이고 유쾌하며 우울한 시간이 지속되었다. 그 동안만큼은 나를 바라보는 그녀의 눈에 온통 우울한 빛이 가득했고, 그녀 앞에서 나는 간혹 무시당하는 느낌을 받았다. 잠시 동안의 기이한 흥분 상태를 제외한다면 그녀는 대체로 소녀다웠다. 남성적인 면모와는 도저히 어울리지 않는, 언제나 변함없이 나른한.

여러 면에서 그녀의 습관은 이상했다. 도시에 사는 여자에겐 별스럽지 않을지라도 이곳에서는 무례하게 보이는 때가 있다. 그녀는 아주 늦게, 대체로 오후 한 시가 지나서야 아래층으로 내려와 초콜릿 한 잔을 마실 뿐 아무것도 먹지 않았다. 그런 뒤 우리는 소일삼아 산책을 나가는데, 그녀는 금세 녹초가 될 정도로 지쳐버려서 슐로스로 돌아오거나 아니면 나무 사이 여기저기 놓인 벤치에 앉았다. 그 무력감은 정신과 조화되지 못하는 육체의 문제였다. 그녀는 언제나 생기발랄한 달변가였으며 아주 영민했다.

이따금씩 그녀가 자신의 고향을 암시하는 말이나, 나로서는 금시초문인 풍습과 옷차림을 한 사람들에 대한 말을 할 때가 있는데, 그것이 모험담인지 주변의 이야기인지 아니면 유년의 기억인지는 정확하지 않았다. 나는 그런 우연한 단서들을 바탕으로 그녀의 고향이 생각보다 훨씬 먼 곳이라고 짐작했다.

우리가 나무 아래 앉아 있던 어느 날, 장례 행렬이 지나갔다. 망자는 삼림 감시원의 딸로, 나는 그녀를 여러 번 본 적이 있었다. 가여운 감시인은 딸의 관을 따라 걷고 있었다. 무남독녀를 잃은 슬픔에 가슴이 미어지는 모습이었다. 농부들이 두 줄로 뒤따르며 만가를 부르고 있었다.

$그림 「카르밀라」 중에서 「장례 행렬」, 마이클 피츠제럴드(Michael Fitzgerald) 작(1892)

장례 행렬이 지나갈 때 나는 애도를 표한 뒤 몹시 구슬픈 만가를 따라 불렀다.

그때 친구의 거친 손길에 나는 깜짝 놀라 뒤를 돌아보았다.

그녀가 무뚝뚝하게 말했다.

"들어주기에는 너무 고약한 노래잖아?"

"아니, 애잔하게 들리는걸."

나는 그녀의 갑작스러운 훼방에 당황한데다, 조촐한 행렬에 참가한 사람들이 우리를 보고 화를 내지 않을까 싶어 마음이 몹시 불편했다.

그래서 다시 만가를 부르는데, 그녀가 또 훼방을 놓았다.

"너 때문에 귀가 찢어지는 것 같아."

카르밀라가 화를 내더니 가녀린 손가락으로 귀를 틀어막았다.

"게다가 너와 내가 같은 종교를 믿는 것도 아니잖아. 너희들의 형식과 절차 때문에 화가 난다고. 난 장례식이 싫어. 이거 원 시끄러워서! 너도 언젠가 죽을 테고, 모두가 죽는 운명이잖아. 하긴 차라리 죽는 편이 낫겠지. 집에 가자."

"아버지는 목사님과 함께 교회 묘지에 가셨어. 저 여자의 장례식이 오늘이라는 걸 너도 아는 줄 알았지."

"저 여자? 난 시골뜨기들한테 신경 쓰지 않아. 저 여자가 누군지도 모른다고."

카르밀라의 눈에서 불똥이 튀었다.

"보름 전부터 유령을 봤다고 헛소리를 한 불쌍한 여자야. 그때부터 시름시름 앓다가 어제 죽었대."

"유령 따위는 집어치워. 자꾸 그러면 난 오늘 밤 잠을 못 잘 거야."

"역병이나 열병이 아니었으면 좋겠어. 죽은 사람들의 증상이 전부 똑같았거든. 돼지 치는 아저씨의 젊은 아내도 일주일 전에 죽었는데, 침대에 누워 있으면 누군가 자신의 목을 졸라서 숨이 막힌다고 그랬대. 열병에 걸리면 그런 끔찍한 상상을 하게 된다고 아빠가 그러셨어. 그 아주머니는 얼마 전까지만 해도 아주 건강했거든. 그런데 그런 말을 하다가 갑자기 쓰러져서 일주일 전에 죽은 거야."

"어쨌든, 장례식이든 만가든 다 끝났으면 좋겠어. 말도 안 되는 고약한 소리 때문에 귀가상하고 싶진 않으니까. 만가를 듣고 있으면 짜증이 나. 여기 내 옆에 앉아, 가까이. 내 손을 잡아줘. 꽉, 더 세게."

우리는 약간 뒤쪽의 다른 벤치로 걸어갔다.

카르밀라는 벤치에 앉았다. 한동안 그녀의 낯빛은 걱정스럽고 무서울 정도였다. 어두워졌다가 검푸르게 바뀌는 모습이 섬뜩했다. 이를 꽉 물고 손을 움킨 채, 미간을 잔뜩 찌푸리고 앙다문 입술, 그녀는 그렇게 자신의 발치를 노려보면서 학질에 걸린 사람처럼 온몸을 부들부들 떨었다. 발작을 억누르기 위해 죽을힘을 다해 사투를 벌이는 것 같았다. 이윽고 그녀에게서 고통에 찬 신음이 나지막이 새어나온 뒤, 조금씩 히스테리 증상이 가라앉았다.

그녀가 마침내 말했다.

"저런! 저기 목이 터져라 만가를 부르는 사람들이 오잖아! 나를 잡아줘, 꽉. 사람들이 이쪽으로 지나가잖아."

카르밀라의 말대로 장례 행렬이 천천히 지나가고 있었다. 내가 이상하게 생각할까봐 그랬는지, 그녀는 어느 때보다도 발랄하게 수다를 떨었다. 그리고 우리는 집으로 돌아왔다.

카르밀라의 어머니가 말한 건강상의 문제가 분명한 증상으로 나타난 것은 그때가 처음이었다. 카르밀라가 성내는 모습을 본 것도 그때가 처음이었다.

증상과 분노, 그 둘은 여름날의 구름처럼 지나가버렸다. 그 후로 딱 한 번을 제외하고 카르밀라의 화난 모습을 본 적이 없다. 딱 한 번의 예외에 대해 말하겠다.

카르밀라와 나는 기다란 응접실 창가에서 밖을 내다보고 있었다. 가동교 너머 안마당으로 누군가가 어슬렁거리며 들어섰다. 내가 아주 잘 아는 사람이었다. 그는 보통 일 년에 두 번 슐로스를 방문했다.

그는 곱사등이였다. 그처럼 육체적 기형을 겪는 사람들이 대개 그렇듯이 몹시 구부정한 모습이었다. 끝이 뾰족하고 거뭇한 수염을 길렀고, 입이 귀에 걸린 양 활짝 웃을 때는 하얀 어금

니가 드러났다. 담황색과 검은색 그리고 자줏빛이 섞인 옷을 입고 있었는데, 온몸에 셀 수도 없을 만큼 가죽 끈을 두르고 그 고리마다 별의별 물건을 다 매달고 있었다. 등에는 환등기 하나와, 각각 도롱뇽과 흰독말풀이 들어 있을 상자 두 개를 짊어지고 있었다. 그 괴물들은 아버지에게 큰 웃음을 선사했다. 원숭이, 앵무새, 다람쥐, 물고기, 고슴도치 따위의 몸뚱이 일부를 말린 뒤 말끔하고 기막힌 솜씨로 한데 꿰매놓은 것도 있었다. 그 밖에 바이올린, 요술 상자, 허리띠에 부착해놓은 보석 박편과 가면을 비롯해 기묘한 상자 몇 개가 가죽 끈에 매달려 대롱거렸고, 손에 든 검은 지팡이는 구리로 물미를 끼운 것이었다. 비쩍 마르고 덥수룩한 개 한마리가 그의 뒤를 졸졸 따라오다가 가동교에서 갑자기 멈추어 서더니 곧바로 처량하게 낑낑대기 시작했다.

한편, 안마당 한복판에 멈춰 선 돌팔이 약장수는 괴상하게 생긴 모자를 벗으며 우리를 향해 아주 공손하게 허리를 굽혔다. 곧이어 형편없는 불어와 그보다 나을 것 없는 독일어를 뒤섞어 요란스레 인사말을 늘어놓았다. 그러고는 바이올린으로 경쾌한 곡을 연주하다가 엇박자로 노래까지 곁들였고, 급기야 익살맞고 야단스레 춤을 추는 바람에 나는 낑낑거리는 개의 흐느낌에도 아랑곳없이 폭소를 터뜨리고 말았다.

그는 싱글벙글 연신 인사를 건네며 창가로 다가왔다. 벗어든 모자는 왼손에 들고 바이올린은 옆구리에 낀 채, 숨 한번 쉬지 않고 물건 자랑으로 시작해서 우리에게 선보일 다양한 기술의

종류, 자신의 수중에 있지만 우리가 원하면 언제든 보여주겠다는 골동품과 노리개에 대해 일장연설을 늘어놓았다.

"아가씨들, 숲을 지나오다 늑대처럼 돌아다니는 흡혈귀 얘기를 들었는데 그놈을 퇴치해주는 부적 하나 사시죠?"

그는 모자를 보도에 내려놓고 말을 이었다.

"사방에서 사람들이 죽어간다면서요. 자, 이 부적이면 틀림없습죠. 베개에 꽂아만 두면 걱정할 일이 없어요. 놈의 얼굴을 보더라도 껄껄 웃게 될 테니까요."

직사각형의 피지 조각으로 만든 부적에 신비한 문자와 표식이 그려져 있었다.

카르밀라는 순순히 부적 한 개를 샀고, 나도 그랬다.

그가 우리를 올려다보았고, 우리는 신이 나서 미소 띤 얼굴로 그를 내려다보았다. 적어도 나는 그랬다. 그런데 우리를 올려다보던 그의 날카로운 시선에 뭔가 흥미로운 것이 걸려들었는지, 한 곳을 빤히 응시하는 것이었다.

그는 곧장 가죽 자루를 풀더니 작은 쇠붙이 물건들을 꺼내들었는데, 하나같이 생김새가 괴이했다.

"이걸 보십쇼, 아가씨."

그는 물건 하나를 가리키며 내게 말했다.

"솔직히 말씀드려서, 치의술은 다른 것에 비해 좀 쓸모가 없습죠. 망할 놈의 개새끼, 역병에나 걸려라!"

그는 어투를 고쳐 말했다.

"이 녀석 조용히 좀 해라! 저 녀석이 낑낑거리는 통에 제 말이 안 들릴지 모르겠네요. 아가씨 오른쪽에 계시는 귀한 친구분 말인데요, 저분 치아가 아주 날카로워요. 올빼미, 아니 바늘처럼 길고 가늘고 뾰족합니다그려, 허허! 날카롭고 정확한 제 눈으로 올려다보건대, 분명합니다요. 치아가 저렇게 생겨서는 젊은 아가씨가 다치실 게 분명한데, 여기, 여기 말입죠, 줄과 천공기, 집게를 보세요. 아가씨 친구분이 괜찮으시다면 제가 치아를 매끄럽고 뭉뚝하게 만들어드립죠. 저리도 아름다운 아가씨가 더는 생선 가시 같은 이를 가져서는 안 되고말고요. 예? 친구분이 언짢아하시나요? 제가 너무 무례했나요? 저 때문에 마음이 상하셨나요?"

실제로 그 '친구분'은 창가에서 등을 돌렸는데, 몹시 화가 난 표정이었다.

"꼽추 주제에 감히 우리를 희롱해? 네 아버님 어디 계시지? 혼내주라고 해야겠어. 내 아버님이었다면 저놈을 칭칭 묶어서 말채찍으로 후려치고 인두로 지져버리셨을걸!"

창가에서 한두 걸음 물러나 자리에 앉은 카르밀라는 시야에서 무례한 상인이 사라지자마자, 격분했을 때와 마찬가지로 순식간에 마음이 진정되는 모양이었다. 조금씩 평소의 말투를 되찾았고, 어느새 곱사등이와 그의 실수까지 잊어버린 듯했다.

아버지는 그날 저녁 침울한 모습이었다. 집에 돌아오셔서 하신 말씀에 따르면, 흉흉한 최근의 두 사건과 아주 유사한 일이 또 벌어졌다는 것이다. 고작 천오백 미터쯤 떨어진 곳에서 우리 집 땅을 소작하는 젊은 농부의 누이가 중병에 걸렸는데, 지난번의 두 사건과 거의 흡사한 과정을 겪었으며 지금은 서서히 죽어가고 있다고 했다.

아버지가 말했다.

“이 모든 것은, 엄밀히 말해 자연 발생적이야. 불쌍한 사람들이 서로의 미신에 전염되어서, 이웃에 스며든 공포의 이미지를 상상 속에서 재현하고 있으니까.”

“그런 상황 자체가 사람을 무섭게 해요.”

카르밀라가 말했다.

“어떻게 말이니?”

“저도 그런 것을 상상할까봐 무섭거든요. 그것이 상상이라도 실제 벌어지는 일처럼 무서울 것 같아요.”

“우리 운명은 신의 손에 달려 있단다. 그 어떤 일도 그분 허락 없이는 생기지 않아. 그리고 모든 의지의 결과는 그분을 사랑하는 자들을 위한 것이지. 그분은 우리의 충실한 창조주시다. 그분이 우리를 만드시고 굽어보시니까.”

아버지의 부드러운 말씀을 듣고 난 카르밀라가 말문을 열었다.

“창조주! 자연! 이 지역에 만연된 질병도 자연의 재앙이란 말씀이군요. 자연. 만사가 자연에서 비롯되잖아요, 네? 천지와 땅속의 모든 것이 자연의 섭리에 따라 행하고 살아가는 것이겠죠? 저는 그렇게 생각해요.”

아버지가 잠시 침묵했다가 말했다.

“의사가 오늘 이곳에 올 게다. 의사의 생각은 어떤지, 무슨 조치를 취하는 것이 좋을지 얘기를 들어보고 싶구나."

"저는 단 한 번도 의사들 덕을 본 적이 없어요."

"그럼 예전에 병을 앓았니?"

내가 물었다.

"네가 상상하지 못할 만큼 지독한 병이었어."

"오래전에?"

"응, 오래전에. 나도 이 지역에서 나타나는 증상과 똑같은 병을 앓았어. 하지만 아프고 힘이 빠졌다는 것 외에는 기억나는 게 없어. 다른 병에 걸렸을 때보다 특별히 나빴다는 생각은 안 들어."

"아주 어렸을 때였나보네?"

"아마 그럴걸. 그 얘기는 그만하자. 친구를 괴롭히진 않겠지?"

나른한 눈빛의 카르밀라가 다정스레 내 허리를 껴안고는 나를 방에서 데리고 나갔다. 아버지는 창가에서 몇 장짜리 서류를 보느라 분주했다.

"너의 아버지는 왜 우리를 겁주시려는 걸까?"

아름다운 카르밀라가 한숨과 함께 약간 진저리를 치면서 말했다.

"그런 게 아니야, 카르밀라. 아버지가 우리를 겁주다니, 말도 안 돼."

"얘, 너 무섭니?"

"죽은 사람들처럼 실제로 병에 걸린다면 무척 무서울 거야."

"죽는 게 무서워?"

"그럼, 누구나 무서워하잖아."

"하지만 종종 연인들이 그러하듯 함께 죽음으로써 함께 살 수도 있지. 여자는 나비가 되기 위해 여름을 기다리며 살아가는 유충이나 다름없어. 딱정벌레의 애벌레와 올챙이 등등 저마다 특징과 필요조건 그리고 생김새가 제각각이지만 말이야. 이건 옆방에 있는 두꺼운 책에서 박물학자 뷔퐁이 말한 거야."

그날 늦게 찾아온 의사와 아버지는 한동안 밀담을 나누었다. 예순이 넘은 그는 유능한 의사로, 창백한 얼굴이 면도를 해서 호박처럼 매끄러웠으며 분을 발랐다. 아버지와 의사가 함께 방에서 나왔을 때, 아버지의 웃음소리에 섞여 주고받는 말소리가 들려왔다.

"허허, 댁처럼 현명한 분을 보면 감탄이 절로 나와요. 히포그리프와 용에 대해선 어찌 생각하시나요?"

의사가 미소를 띤 채 고개를 저으며 말했다.

"아무리 그래도 생과 사는 불가사의한 문제예요. 우린 어느 쪽도 아는 것이 거의 없지요."

두 분이 계속 걸어가는 바람에 그들의 대화를 더 듣지는 못했다. 당시에는 의사가 무슨 말을 하는지 몰랐지만, 지금은 알 것 같다.

제5장 기막히게 닮은 꼴

그날 저녁, 얼굴이 거무스름한 그림 복원업자의 아들이 그라츠에서 그림이 가득 담긴 큼지막한 상자 두 개를 마차에 싣고 도착했다. 스티리아의 아담한 수도인 그라츠에서 이곳까지는 오십 킬로미터 남짓으로, 그 전령이 올 때마다 우리는 현관에서 그를 둘러싸고 소식거리를 물었다.

이번 방문은 우리의 외딴 슐로스에 대단한 반향을 일으켰다. 상자들을 현관에 놔두고 저녁 식사를 하는 동안, 그 전령은 하인들에게 둘러싸여 있었다. 나중에 그는 도와줄 하인 몇 명과 함께 망치와 끌, 나사돌리개를 준비해 현관에 나타났다. 우리는 상자 여는 걸 지켜보기 위해 현관에 모여 있었다.

대부분이 초상화로, 일일이 수선 과정을 거친 해묵은 그림들이 상자에서 줄줄이 나왔다. 그동안 카르밀라는 줄곧 초조한 기색으로 앉아 있었다. 유서 깊은 헝가리 집안 출신의 내 어머니를 비롯해 대부분 외가 쪽 초상화인 그림들은 원래 있어야 할 자리를 찾아 돌아온 셈이었다.

아버지가 손에 든 목록을 읽을 때마다 복원업자는 거기에 맞는 그림을 찾아냈다. 그림이 얼마나 훌륭한 것인지는 모르겠으나, 내가 보기에도 아주 오래되었고 그중 상당수는 아주 진기한 것이었다. 나는 처음으로 그림들의 가치를 깨달았다. 오랜 세월이 흐르면서 색이 바래고 먼지가 덧쌓인 탓에 그림을 청소하고 복원하기 전까지는 까맣고 잊고 있었다.

"처음 보는 그림이 있는걸."

아버지가 말했다.

"위쪽 구석에 이름이 있는데. 가만있자, '마르시아 카렌슈타인'. 날짜가 1698년이라, 이 그림이 어디서 나왔는지 신기하군."

나는 그 그림을 기억하고 있었다. 가로 세로 각각 사십오 센티미터 정도의 작은 크기로 액자가 없는 그림이었다. 그러나 시간이 많이 흐른 탓에 그것 말고는 딱히 무엇을 그린 그림인지도 알지 못했더랬다.

복원업자는 자랑스레 그 그림을 집어들었다. 매우 아름답고 깜짝 놀랄 만한 그림이었다. 살아 있는 것 같은. 그것은 다름 아닌 카르밀라의 초상화였다!

"카르밀라, 이건 정말 기적이야. 봐, 그림 속에서 살아 있는 네가 웃으면서 말을 할 것 같잖아. 아빠, 정말 예쁘지 않아요? 봐요, 목에 난 조그만 점까지 어쩜 이렇게 똑같죠."

아버지는 웃으며 대답했다.

"기막힐 정도로 닮았구나."

그런데 놀랍게도 아버지는 별스럽지 않은 듯 복원업자이자 화가인 남자와 이야기를 계속했다. 그들 사이에서 방금 빛과 색채의 새로운 가치를 찾게 된 초상화와 이런저런 그림들에 대해 지적인 대화가 오가는 동안, 나는 점점 더 눈앞의 그림에 놀라고 있었다.

"아빠, 이 그림을 제 방에 걸어도 되죠?"

아버지가 웃음을 지었다.

"그러렴. 그렇게 마음에 든다니 기쁘구나. 그게 내가 짐작하는 그림이 맞는지 모르겠지만, 어쨌든 생각보다 아름다운걸."

카르밀라는 우리의 근사한 대화에 별 반응이 없었는데, 듣지도 않는 것 같았다. 그녀는 의자에 기댄 채 기다란 속눈썹이 드리운 아름다운 눈으로 나를 골몰히 바라보다가 황홀한 듯 미소를 지었다.

"구석에 적힌 이름을 정확히 읽어보세요. 마르시아가 아니에요. 황금으로 쓴 것 같아요. 이름은 미르칼라, 카렌슈타인 백작부인, 머리에 귀족의 보관(寶冠)을 쓰고 있어요. 연도는 1698년. 전 카렌슈타인 가문의 후손이에요. 외가 쪽이 카렌슈타인 가문이니까."

그때 카르밀라가 나른하게 말했다.

"아! 나도 마찬가지야. 아주 먼 후손일 거야. 카렌슈타인 집안에 지금도 살아 있는 사람이 있니?"

"없을걸. 가문은 오래전 내란 때 몰락한 걸로 알고 있거든. 하지만 폐허가 된 성은 여기서 오 킬로미터도 안 되는 곳에 남아 있어."

"와, 재밌는걸! 봐, 달빛이 정말 아름다워!"

그녀는 살짝 열린 현관문을 흘깃거리며 말했다.

"뜰을 거닐며 길가와 강을 내려다보면 근사하겠는걸."

"네가 여기 온 날과 비슷하네."

카르밀라는 씩 웃으며 한숨을 쉬었다.

카르밀라가 일어섰고 우리는 서로의 허리를 감싸 안은 채 밖으로 나갔다.

아름다운 풍경이 펼쳐진 가동교 쪽으로 묵묵히 걸어 내려가며, 카르밀라가 속삭이듯 말했다.

"내가 여기 온 날 밤을 생각하는 거야? 내가 와서 좋아?"

"그럼, 좋고말고. 카르밀라."

"그래서 나랑 닮았다는 그림을 네 방에 걸겠다고 했구나."

카르밀라가 한숨을 지으며 말했다. 그녀는 내 허리를 감싸고 얼굴을 내 어깨에 기댔다.

"카르밀라, 넌 너무 낭만적이야. 네가 하는 얘기는 하나같이 대단한 연애 소설 같아."

카르밀라는 말없이 내게 입을 맞추었다.

"카르밀라, 넌 사랑에 빠진 게 분명해. 뭔가 애절한 사연이 있는 게 틀림없다고."

"난 누구와도 사랑에 빠진 적 없고, 앞으로도 없을걸. 하지만 상대가 너라면 모르지."

달빛 아래 속삭이던 그녀는 얼마나 아름다웠던가!

카르밀라는 흐느낌에 가까운 거센 탄식과 함께 수줍어하는 묘한 얼굴을 다급히 내 목에 파묻고는 떨리는 손으로 나를 잡았다.

그녀의 보드라운 뺨이 홧홧하게 내게 전해졌다.

"자기야, 자기야."

그녀가 웅얼거렸다.

"나는 네 안에서 살고 있어. 나를 위해서라면 넌 목숨까지 바치겠지. 나도 그만큼 너를 사랑하니까."

나는 깜짝 놀라 그녀에게서 물러섰다.

뜨거운 열기와 온갖 의미가 가득한 눈길로 카르밀라는 나를 응시하고 있었다. 그런데도 그녀의 얼굴은 창백하고 차가웠다.

카르밀라가 졸린 목소리로 말했다.

"춥지 않니? 난 몸이 떨릴 정도야. 꿈을 꾸고 있었나봐. 우리 들어가자, 어서. 들어가자니까."

"아파 보여, 카르밀라. 기운이 없는 것 같아. 포도주라도 좀 마셔야겠다."

"응, 그래야겠어. 지금은 괜찮아. 조금 지나면 말짱해질 거야. 그래, 포도주나 조금 마셔야겠다."

현관에 들어서면서 카르밀라가 말했다.

"조금만 더 함께 있자. 아마 이번이 마지막일지 몰라. 너랑 달빛을 감상하는 건."

"이제 괜찮아졌어? 정말 괜찮은 거야?"

카르밀라가 인근을 휩쓸고 있다는 묘한 전염병에 걸리지는 않았는지 불안해지기 시작했다.

"네가 우리 모르게 조금이라도 몸이 아프다면 아빠는 무척 마음 아파하실 거야. 인근에 아주 유능한 의사가 있어. 오늘 아빠와 함께 계시던 분 말이야."

"나도 알아. 너는 참 착하구나. 얘, 하지만 난 괜찮아졌어. 아무 문제도 없으니까 걱정 마. 그냥 활기가 없어 보인다고 사람들이 말하는 정도야. 운동을 못 해. 세 살배기 아이보다 멀리 걷지도 못하니까. 좀 전에 네가 봤다시피, 이따금씩 주저앉을 정도로 기운이 빠져버리거든. 하지만 곧 무슨 일이 있었냐 싶게 괜찮아져. 조금만 지나면 완전히 회복될 거야. 봐, 벌써 좋아졌잖아."

실제로 그랬다. 카르밀라와 나는 많은 이야기를 나누었고, 그녀는 아주 활달했다. 그날 밤이 지나도록 카르밀라는 독특한 황홀경에 다시는 빠져들지 않았다. 나를 당황스럽고 무섭게 하는 광적인 말과 표정 말이다.

그런데 그날 밤, 나로서는 전혀 다른 국면이라고 여겨지는 사건이 벌어졌고, 그 일로 평소 나른하던 카르밀라가 일순 기운찬 모습으로 바뀐 듯했다.

제6장 아주 이상한 고통

응접실에서 커피와 초콜릿을 앞에 두고 앉았을 때, 카르밀라는 아무것도 입에 대지 않았지만 평소의 모습을 완전히 되찾은 것 같았다. 페로돈 부인과 라퐁텐 양이 합석한 가운데 자칭 '선수'인 아버지까지 가세해 카드놀이가 벌어졌다.

카드놀이가 끝나자, 카르밀라의 소파 옆자리에 앉은 아버지가 카르밀라에게 약간 근심스러운 목소리로 혹시 어머니에게서 무슨 전갈이라도 있었는지 물었다.

카르밀라는 없었다고 대답했다.

그러자 아버지는 혹시 지금이라도 어머니에게 연락을 취할 방법이 있는지 물었다.

"글쎄요."

카르밀라는 모호하게 대답했다.

"하지만 이 댁에서 떠날 때가 됐다는 생각을 하고 있었어요. 지금까지 제게 과분하게 잘해주셨어요. 폐를 너무 많이 끼쳐드린 것 같아서 내일이라도 마차를 타고 어머니를 뒤따라갈까 해요. 말씀은 못 드리지만, 어딜 가면 어머니를 만날 수 있는지 알거든요."

"그런 생각은 아예 말거라."

아버지가 정색하며 말하자 나는 적잖이 마음이 놓였다.

"너를 그렇게 떠나보낼 수 없을 뿐더러, 내가 허락하지도 않을 거야. 우리를 믿고 널 맡겨주신 어머니가 돌아오실 때까지는 안 된다. 네가 어머니 소식이라도 안다면 나도 마음이 무척 가벼웠을 게다. 더구나 오늘 밤은 인근에 도는 정체불명의 병마 때문에 더 심란하구나. 우리 아리따운 손님이 어머니에게서 도움의 손길조차 받을 수 없으니 내 책임이 막중하게 느껴진단다. 하지만 최선을 다할 생각이다. 한 가지 확실한 건, 네가 어머니 허락 없이 우리를 떠나서는 안 된다는 것이다. 너를 쉽게 떠나보냈다가는 나중에 크게 후회할 것 같아."

"베풀어주신 은혜, 천번만번 고마울 따름이에요."

카르밀라는 수줍게 웃으며 말했다.

"모두들 저에게 잘해주셨어요. 아저씨의 아름다운 성에서 그것도 따님과 함께 지낼 수 있다니, 지금까지 이렇게 행복한 적은 거의 없었답니다."

아버지는 특유의 친절함과 시대에 뒤떨어진 예스러운 방식으로 카르밀라의 손에 입을 맞추었다. 미소 띤 얼굴로 봐서 카르밀라의 말에 기분이 좋아진 모양이었다.

여느 때처럼 나는 카르밀라의 침실까지 함께 들어갔다. 카르밀라가 잠들기 전까지 우리는 수다를 떨었다.

이윽고 내가 말했다.

"말해봐. 나를 온전히 믿을 수 있어?"

카르밀라는 계속 웃기만 할 뿐 대답은 하지 않았다.

"대답을 피하는 거니? 마음 편히 대답을 못 하는 거겠지. 내가 괜한 걸 물었나봐."

"너는 나한테 뭐든 물어볼 수 있어. 네가 나한테 얼마나 소중한 사람인지 모르는구나. 아니면 내가 상상을 초월할 정도로 너를 신뢰한다는 것까지는 생각하지 못했던가. 나는 수녀의 맹세보다도 더 엄한 약속을 한 터라 너한테조차 시원스레 털어놓지 못하는 거야. 내가 냉정하고 이기적이라고 생각할 테지만, 사랑은 언제나 이기적이지. 사랑이 깊을수록 더 이기적이야. 네가 그걸 모르고 있으니 정말 안타까워. 너는 죽을 때까지 나를 사랑하며 함께할 거야. 아니면 저승에서까지 나를 증오하며 함께하든가. 내 타고난 성격이 냉담한 편이지만 무심한 건 아니라고."

"카르밀라, 지금 또 말도 안 되는 소리를 늘어놓고 있어."

나는 초조히 말했다.

"그게 아닌데, 난 참 멍청한가봐. 변덕과 공상으로 가득 차 있다니까. 너를 위해서 지금부터 현자처럼 말할게. 너 혹시 무도회에 가본 적 있니?"

"아니, 너는 가봤구나. 어땠어? 얼마나 근사할까."

"오래전 일이라 기억도 안 나."

나는 웃음을 터뜨렸다.

"누가 들으면 꽤 나이든 사람인 줄 알겠네. 처음 무도회에 간 날을 잊을 리 없잖아."

"굳이 애를 쓴다면 전부 기억이 나긴 해. 부유물이 떠다니고 잔물결이 임에도 투명한 물속에서 수면 위를 보는 잠수부처럼 나도 모두 봤으니까. 그날 밤의 광경을 혼란스럽고 희미하게 만드는 사건이 하나 벌어졌어. 침대에서 암살당할 뻔했는데, 여기 상처를 입었어."

카르밀라는 자신의 가슴을 어루만졌다.

"이 상처는 없어지질 않더라."

"죽을 뻔했다고?"

"응, 아주 잔인하고 기이한 사랑 때문에 목숨을 잃을 뻔했어. 사랑은 희생을 원하는 법이니까. 피 한 방울 나지 않는 희생 말이야. 이제 자야겠어. 정말 노곤한걸. 어떻게 일어나서 문을 잠근담?"

카르밀라는 탐스럽게 출렁이는 머리칼 속에 조그마한 손을 깍지 낀 채, 조막만한 머리를 베개에 뉘었다. 내가 움직이는 곳마다 반짝이는 카르밀라의 눈동자와 알듯 말듯 수줍은 미소가 따라다녔다.

나는 잘 자라는 인사를 건네고 불편한 마음으로 방을 빠져나갔다.

카르밀라가 한 번이라도 기도를 한 적 있는지, 나는 종종 의구심이 들었다. 실제로 무릎을 꿇은 카르밀라의 모습을 본 적이 한 번도 없었다. 아침에 가족 기도가 끝나고 한참이 지나서야 모습을 나타냈고, 홀에서 간단한 저녁 기도가 있을 때조차 혼자 응접실에서 꼼짝도 하지 않았다.

은연중에 세례를 받았다는 말을 했으니 망정이지, 그것도 아니었다면 카르밀라가 기독교도인지 의심했을 터다. 그녀는 종교에 대해서는 일언반구도 하지 않았다. 내가 세상물정을 좀더 알았더라면, 종교에 대한 무시 혹은 반감 같은 태도에 그처럼 놀라지는 않았을 것이다.

예민한 사람들의 경계심은 전염되기 십상이고, 기질이 비슷한 사람들은 시간이 지나면서 서로를 모방한다. 나도 카르밀라처럼 침실 문을 잠그는 버릇이 생겼고, 야밤에 침입자나 암살자가 있을지 모른다고 조바심을 냈다. 뿐만 아니라 암살자나 강도가 '숨어' 있지는 않은지 일단 방 안부터 살피는 카르밀라의 버릇까지 따라했다.

그런 식의 조치를 취한 뒤 나는 침대에 누워 잠을 청했다. 내 침실에는 언제나 촛불 하나가 밝혀져 있었다. 아주 어렸을 때부터 있어온 습관인데, 나중에도 그만둘 생각이 들지 않았다.

그렇게 무장을 한 뒤에야 평온히 휴식을 취할 수 있었다. 그러나 꿈은 돌벽을 뚫고 찾아와 어두운 방을 밝히거나 밝은 방에 어둠을 드리운다. 꿈속에서 사람들은 내키는 대로 어딘가를 들락날락하면서 자물쇠공을 비웃는다.

내가 아주 기이한 고통의 시작을 알리는 꿈을 꾼 것은 그날 밤이었다.

잠을 자고 있다는 걸 분명히 의식하는 상황이어서 그것이 악몽이었는지는 단정하지 못하겠다. 또한 내 방, 내 침실에 여느 때와 다름없이 누워 있다는 의식도 있었다. 방이 아주 어둡고 언뜻 정체 모를 뭔가가 침대 발치에서 움직이는 것만 제외하면 내가 알고 있는 그대로의 방과 가구를 보았거나 그렇다는 생각이 들었다. 얼마 후에 보니, 움직이는 것은 아주 커다란 고양이처럼 생긴 거무스름한 동물이었다. 놈의 몸통에 양탄자가 완전히 가려진 것으로 봐서 몸길이가 백오십 센티 가량이었다. 놈은 우리 안의 맹수처럼 유연하고도 불길한 동작으로 이리저리 오갔다. 당연히 겁에 질린 나는 비명조차 지를 수 없었다. 점점 빨라지는 놈의 움직임을 따라 급속히 어두워지던 방 안이 곧 암흑에 잠기자, 놈의 눈동자 외에는 아무것도 보이지 않았다.

놈이 살며시 침대로 뛰어오른 것 같았다. 내 얼굴을 향해 다가오는 두 개의 커다란 눈동자. 그런데 느닷없이 커다란 바늘 두 개가 오 센티 정도 간격으로 가슴에 푹 박히듯 격렬한 통증이 느껴졌다. 나는 비명을 지르며 깨어났다. 여느 때처럼 밤새 밝혀두는 촛불이 방 안을 비추는 가운데, 참대 발치에서 약간 오른쪽에 여자로 보이는 형체 하나가 서 있었다. 검은색의 헐렁한 드레스 차림에, 늘어진 머리칼이 어깨를 덮고 있었다. 숨막히는 정적이 흘렀다. 희미한 숨결 소리 한번 들려오지 않았다. 내가 빤히 바라보는 동안, 그 형체는 위치를 바꾸더니 문가 쪽으로 바짝 다가갔다. 이윽고 문이 열리고 형체는 사라졌다.

나는 그제야 가슴을 쓸어내리며 참은 숨을 내쉬고 움직일 수 있었다. 처음에는 내가 방문 잠그는 것을 깜박한 상황에서 카르밀라가 장난을 친 거라고 생각했다. 다급히 문을 확인해보았는데, 평소처럼 안에서 잠겨 있었다. 문을 열기가 겁이 났다. 무서웠다. 침대로 뛰어올라간 나는 이불을 머리끝까지 덮은 채 시체처럼 아침까지 누워 있었다.

제7장 하강

그날 밤 벌어진 사건을 떠올리는 지금 이 순간에도 내가 얼마나 두려움에 떨고 있는지 제대로 표현할 방법이 없다. 꿈이 남겨놓은 일시적인 공포가 아니었다. 그때의 공포는 시간이 지날수록 강렬해졌고, 그 유령을 에워싸고 있던 방과 가구에 저절로 스며들었다.

다음날 나는 잠시도 혼자 있지 못했다. 아버지에게 말하고 싶었으나 두 가지 상반된 이유 때문에 그러지 못했다. 한 가지 이유는 아버지가 내 말을 웃음과 장난기 정도로 받아넘기리라는 것이었다. 다른 하나는 내가 인근에 나도는 정체불명의 병에 걸렸다고 생각할까 걱정스러웠기 때문이다. 나는 그런 병과는 거리가 먼데다, 그러잖아도 요사이 힘이 없어 보이는 아버지에게 심려를 끼치고 싶지 않았다.

너그러운 페로돈 부인과 활달한 라퐁텐 양만 있어도 적잖이 위로가 되었다. 두 사람은 내가 풀이 죽고 예민해진 것을 눈치챘다. 나는 마침내 가슴을 짓누르는 그 일에 대해 털어놓았다.

라퐁텐 양은 웃었지만 페로돈 부인은 근심스러워하는 눈치였다.

라퐁텐 양이 웃으며 말했다.

"그러고 보니 생각나네. 카르밀라의 침실 창가 뒤로 나 있는 긴 보리수 산책로에 유령이 나온다더니!"

"헛소리!"

페로돈 부인이 소리쳤다. 그런 화제로 잡담을 할 때가 아니라고 생각한 모양이었다.

"누가 그런 소리를 해?"

"마르틴요. 저쪽에 있는 낡은 마당 문을 수리할 때 두 번인가 여기 온 적 있잖아요. 그 사람이 보리수 길을 따라 걸어가는 여자를 두 번 봤는데, 둘 다 같은 여자였대요."

"강변에서 키우는 젖소를 잘못 봤겠지."

"그러게요. 그런데 마르틴은 진짜 겁을 먹은 것 같았어요. 그렇게 얼이 빠지고 겁에 질린 사람은 처음 봤다니까요."

"그 얘기 카르밀라한텐 하지 마. 창문에서 산책로를 내려다 볼 수 있으니까."

페로돈 부인은 이렇게 덧붙였다.

"아마 나보다도 겁이 많을걸."

카르밀라는 평소보다 늦게 아래층으로 내려왔다.

"간밤에 무서워 죽는 줄 알았어요."

카르밀라가 우리를 보자마자 말했다.

"그 불쌍한 꼽추에게서 산 부적이 없었다면 끔찍한 것을 봤을지 몰라요. 뭔가 검은 형체가 침대 주위를 어슬렁거리는 꿈을 꾸었거든요. 소스라치게 놀라 잠을 깼는데, 한순간 벽난로 쪽에 진짜로 검은 형체가 있는 것 같더라고요. 하지만 베개 밑에 부적이 있다는 생각이 들어서 그걸 손으로 만지는 순간, 그것이 사라졌어요. 부적을 곁에 두지 않았다면 무시무시한 괴물이 나타나 제 목을 졸랐을 게 분명해요. 인근에서 죽었다는 사람들처럼요."

"글쎄, 내 말 들어봐."

나도 간밤의 일을 다시 되풀이해 말했고, 카르밀라는 잔뜩 겁에 질린 모습이었다.

"그럼 너도 부적을 곁에 놔두었어?"

카르밀라가 진지하게 물었다.

"아니, 응접실에 있는 도자기 화병에 넣어두었어. 하지만 네 말을 듣고 보니 오늘 밤에는 꼭 지니고 있어야겠어."

오랜 시간이 흐른 지금, 그날 밤도 혼자 방에서 자면서 어떻게 전날의 공포를 떨쳐버릴 수 있었는지 모르겠다. 아니 이해가 되지 않는다. 베개에 부적을 꽂아둔 것은 분명히 기억난다. 나는 곧 잠이 들었고, 평소보다 더 숙면을 취했다.

다음날 밤도 무사히 지나갔다. 깊이 잠들어서 꿈도 꾸지 않았다. 그런데 기분 나쁠 정도는 아니지만 나른하고 침울한 기분으로 잠을 깼다.

내가 푹 잤다고 하자 카르밀라가 말했다.

"거봐, 내 말이 맞잖아. 나도 간밤에 기분 좋게 잤어. 잠옷 앞섶에다 부적을 꽂아두었거든. 지난번에는 그냥 꿈이었나봐. 꿈을 꾼 것 말고는 모조리 환상처럼 느껴져. 예전에는 악령이 꿈을 꾸게 한다고 곧잘 생각했는데, 우리 가족 주치의가 그런 일은 없다고 말했거든. 마치 노크를 하면서도 안에는 들어오지 않는 것처럼, 우리가 종종 걸리는 열병 같은 것이 스쳐 지나는 증상이라고 하더라."

"그럼 부적의 정체는 뭘까?"

"술에 담가두거나 소독한 것으로 말라리아를 해독하는 효능이 있나봐."

"사람 몸에 지닐 때만 효능이 있는 거야?"

"그럴 거야. 리본 조각이나 약종상에서 파는 향료 따위에 악령이 겁을 낸다고 생각하지는 않겠지? 악한 기운들은 공기 중에 떠돌다가 사람의 신경을 공격하고 정신을 이상하게 만들어. 하지만 병들기 전에 해독제를 쓰면 물리칠 수 있지. 이 부적이 우리에게 해독제 역할을 한 게 틀림없어. 마술이 아니라 아주 자연스러운 이치라고."

카르밀라의 말에 동감할 수 있었다면 훨씬 기분이 좋아졌을 것이다. 그래도 카르밀라의 말을 받아들이려고 노력한 결과, 꿈속의 강렬한 인상이 약간은 희미해졌다.

며칠 동안 나는 곤히 잠들었다. 그러나 여전히 아침마다 나른한 기분을 느꼈고 하루 종일 무력감에 시달렸다. 나 자신이 달라진 느낌이 들었다. 이상스레 침울한 기분에 휩쓸렸는데, 좀처럼 그런 기분을 떨쳐버릴 수 없었다. 어렴풋이 죽음에 대한 생각이 떠올랐다. 부드러우면서도 싫지 않을 정도로 온몸에서 기운이 빠져나가는 느낌이었다. 슬픈 감정이 들지언정 그런 감정을 가져온 마음 상태까지 감미로웠다. 나른함의 정체가 무엇이든 내 영혼은 그것을 기꺼이 받아들이고 있었다.

내가 병들었다고 생각하지 않았기에 아버지에게 말하거나 의사를 부를 생각은 하지 않았다.

카르밀라는 어느 때보다 내게 헌신적이었고, 기묘하면서도 발작적인 연정의 표현도 빈번해졌다. 내가 기운을 잃고 울적해질수록 카르밀라는 더한 열정으로 흡족해했다. 그 모습에 나는 매번 광기를 떠올릴 만큼 충격을 받았다.

부지불식간에 나는 전대미문의 기묘한 병증이 깊어진 상태였다. 초기 증상은 질병의 무력감이라고 생각하기에는 불가해할 정도로 황홀했다. 황홀경은 어떤 시점까지 한동안 강렬해졌다가 그 다음에는 점점 섬뜩한 기분과 뒤섞이더니 마침내 삶을 송두리째 변질시켰다.

첫 번째 변화는 나쁘지 않았다. 그것은 아베르누스(명계의 호수, 지옥으로 가는 입구—옮긴이)로 가는 길목에 가까워지는 상태였다.

꿈에서 모호하고 기묘한 느낌이 일기 시작했다. 대부분은 강물을 거슬러 움직일 때나 목욕을 할 때처럼 온몸에 전해지는 유쾌하고 차가운 전율이었다. 곧이어 전율과 함께 간헐적으로 꿈에 나타나는 장면이나 사람 혹은 그들의 행동 따위는 너무도 어렴풋해서 도무지 기억이 나지 않았다. 그러나 그런 꿈을 꾸고 나면, 오랫동안 엄청난 정신력을 쏟으며 위기를 헤쳐 나온 것처럼 탈진감과 오싹한 여운이 남았다. 잠에서 깨어 있을 때도 거의 칠흑처럼 어두운 어느 공간에서 낯선 이들에게 말을 거는 느낌이 지속되었다. 특히 맑고 웅숭깊은 여자의 목소리가 멀리서 천천히 말을 걸어오는 느낌이 강했는데, 그 목소리는 언제나 형언할 수 없는 엄숙함과 공포감을 자아냈다. 손 하나가 부드럽게 내 뺨과 목을 쓰다듬는 느낌이 들 때도 있었다. 따스한 입술이 내 목에 이르러서는 더 오래, 더 사랑스럽게 입을 맞추기도 했다. 그러나 애무의 여운은 그것을 느끼는 순간, 멈추어버렸다. 내 심장은 격렬하게 뛰었고, 숨결이 높아졌다가 푹 꺼지듯 내려앉았다. 나는 목을 졸린 듯 흐느끼다가 심한 경련을 일으켰다. 그리고 감각과 의식을 잃었다.

설명하기 어려운 상태가 삼 주째 지속되었다. 지난주에는 후유증이 겉으로 드러나기 시작했다. 안색이 창백해지고, 휑해진 눈 밑이 검게 물들었다. 오랫동안 느껴온 나른함이 얼굴에 흔적을 남기기 시작했다.

아버지는 어디가 아프냐고 자주 물어오셨다. 그때마다 나는 아주 건강하다고 아버지를 안심시켰다. 지금 생각하면 왜 그렇게 고집스러웠는지 이해가 되지 않는다.

사실 건강하다는 말이 틀린 건 아니었다. 통증이 없었으며 몸에 이상이 생겼다고 하소연할 상황도 아니었다. 내 병은 상상에서 비롯되었거나 아니면 신경증으로 보였다. 오싹한 느낌이 계속되는 상황임에도 나는 병적이리만큼 침묵으로 일관했다. 나 자신도 모른 척 외면할 정도였다.

어쨌거나 내가 농부들 사이에서 도는 고약한 병에 걸렸을 리는 없었다. 내 증상은 삼 주째 계속되고 있었으나, 인근의 사망자들은 고작 사흘을 앓고 죽었으니 말이다.

카르밀라는 꿈과 격렬한 느낌에 대해 불평했지만, 나와는 달리 불안해할 만한 것은 아니었다. 반면, 앞에서 말한 대로 내가 경험한 일은 극도로 불안한 것이었다. 내가 처한 상황을 이해할 수 있었다면 아마 무릎을 꿇고서라도 도움과 조언을 구했으리라. 나는 뜻밖의 최면 상태에 빠져서 분별력이 마비된 상태였다.

그로부터 얼마 뒤에 꾼 꿈은 기묘한 사실을 알아내는 계기가 되었다. 지금부터 그것에 대해 말해보겠다.

어느 날 밤, 어둠 속에서 들려오던 목소리 대신 달콤하고 부드러우면서도 섬뜩한, 또 다른 목소리가 이렇게 말했다.

"암살을 조심하라고 네 어머니가 경고하고 있다."

그와 동시에 홀연히 불빛이 솟았고, 침대 발치에 서 있는 카르밀라의 모습이 보였다. 그녀는 턱에서 발끝까지 흠씬 젖어 있었는데, 흰색 잠옷에 커다란 핏빛 얼룩이 져 있었다.

$그림 『카르밀라』 중에서, 데이비트 헨리 프리스톤(David Henry Friston) 작 (1872)

카르밀라가 살해당했다는 생각에 나는 비명을 지르며 깨어났다. 침대에서 펄쩍 뛰어올랐다 싶었는데 어느새 나는 복도에 서서 도와달라고 울부짖고 있었다.

페로돈 부인과 라퐁텐 양이 놀란 모습으로 각자의 방에서 뛰어나왔다. 복도에는 늘 불이 켜져 있었기에 그들은 나를 알아보고는 즉시 사정을 알아차렸다.

나는 계속해서 카르밀라의 방문을 두드려보라고 말했다. 아무 응답이 없었다. 곧이어 쿵하는 소리와 굉음이 들려왔다. 모두 다급히 카르밀라를 불렀지만 소용이 없었다.

방문이 잠겨 있었기에 우리는 점점 겁에 질려갔다. 다함께 정신없이 내 방으로 돌아와서는 벨을 마구 눌러댔다. 아버지의 방이 우리와 같은 방향이었다면 아버지에게 즉시 도움을 청했을 것이다. 그러나 어쩌란 말인가! 아버지는 우리의 외침을 듣기에는 너무 멀리 있었고, 우린 거기까지 갈 용기가 없었다.

다행히 하인들이 곧 층계를 뛰어올라왔다. 그동안 나는 잠옷 위에 가운을 덧입고 슬리퍼를 신었다. 가정교사들도 이미 나와 비슷한 복장으로 갈아입은 상태였다. 복도에서 들려오는 하인들의 목소리를 확인한 뒤, 우리는 우르르 몰려나갔다. 그리고 또 부질없이 카르밀라의 방문을 두드렸다. 나는 남자 하인들에게 방문을 부수라고 말했다. 문이 열리자, 우리는 문간에서 등을 치켜들고 방 안을 뚫어지게 노려보았다.

카르밀라의 이름을 불러보았다. 그러나 여전히 대답이 없었다. 우리는 방 안을 이리저리 살폈다. 모든 것이 그대로였다. 내가 잘 자라는 인사를 건넸을 때와 조금도 달라진 것이 없었다. 그러나 카르밀라는 사라지고 없었다.

제8장 수색

우리가 억지로 문을 열고 들어간 흔적만 제외하면 카르밀라의 침실은 말짱한 상태였다. 다소 냉정을 되찾은 우리는 하인들을 돌려보냈다. 라퐁텐 양의 생각은 이랬다. 문 앞에서 벌어진 소동에 잠이 깬 카르밀라가 깜짝 놀라 침대에서 뛰어나온 뒤 옷장이나 커튼 뒤에서 숨었는데, 괄괄한 하인들이 사라질 때까지 나오지 못하고 있다는. 그래서 우리는 방 안을 다시 살펴보며 카르밀라의 이름을 불렀다.

헛수고였다. 당혹감과 불안감은 점점 커져갔다. 창문을 살펴보았지만 이상이 없었다. 어딘가에 숨어 있다면 지금이라도 잔인한 장난을 그만두고 우리의 걱정을 덜어달라고, 나는 보이지 않는 카르밀라에게 애원했다. 그마저 소용이 없었다. 그쯤에서 카르밀라는 침실에도 응접실에도 없다는 확신이 들었다. 침실 쪽에서 잠긴 걸로 보아 응접실 문으로 들어갔을 리도 만무했다. 나는 어리둥절해졌다. 슐로스에 비밀 통로가 있었다는 늙은 하녀장의 말이 떠올랐다. 혹시 카르밀라가 지금은 없어졌을 비밀 통로라도 발견한 것은 아닐까? 잠시 후에 전모가 밝혀질 때까지, 우리 모두 어리둥절하기는 마찬가지였다.

네 시가 넘은 시각, 나는 남은 밤을 페로돈 부인의 방에서 보내고 싶었다. 날이 밝았지만 실마리는 보이지 않았다.

아침이 밝았을 때, 아버지를 비롯해 모두가 크게 동요하고 있었다. 저택 구석구석을 수색했다. 뜰과 정원도 예외가 아니었다. 사라진 카르밀라의 흔적은 발견되지 않았다. 시간이 오래 걸릴 것 같았다. 가여운 카르밀라의 어머니가 돌아왔을 때 뭐라고 말해야 할지 아버지는 심려가 이만저만 아니었다. 아버지와는 걱정하는 바가 사뭇 달랐지만, 나도 정신을 못 차릴 정도로 심란했다.

긴장과 흥분 속에서 아침이 지나갔다. 오후 한 시, 여전히 감감무소식이었다. 나는 카르밀라의 방으로 뛰어올라갔다. 방 안 화장대 앞에 카르밀라가 서 있었다! 화들짝 놀란 나는 내 눈을 믿을 수 없었다. 카르밀라는 말없이 섬세한 손가락으로 나를 손짓해 불렀다. 극도로 겁에 질린 얼굴이었다.

나는 기쁨에 겨워 달려갔다. 수없이 그녀에게 입을 맞추고 껴안았다. 아버지의 걱정을 덜어주려고 정신없이 벨을 누르고 또 눌렀다.

“카르밀라, 이게 대체 무슨 일이야? 우리가 너 때문에 얼마나 걱정했다고. 대체 어디에 있었어? 어떻게 돌아온 거야?”

“지난밤은 정말이지 이상한 밤이었어.”

“제발 설명 좀 해줘.”

"새벽 두 시가 지났을 때였어. 평소처럼 복도 쪽 방문과 응접실로 통하는 사잇문을 전부 걸어 잠근 채 잠이 들었거든. 내가 아는 한 꿈도 꾸지 않고 깊이 잠든 상태였어. 그런데 방금 일어나보니 저기 응접실에 있는 소파에 있지 뭐야. 응접실 사잇문은 열려 있는데 복도 쪽 방문은 부서져 있더라고. 내가 잠든 상태에서 어떻게 이런 일이 벌어졌지? 분명히 큰 소동이 있었을 테고 내가 모를 리 없는데. 살짝만 건드려도 깜짝 놀라는 나를 어떻게 잠든 상태로 침대에서 옮길 수 있었을까?"

그때 페로돈 부인과 라퐁텐 양, 아버지를 비롯해 많은 하인들이 방으로 들어왔다. 당연히 질문과 안도의 인사 세례가 쉴 새 없이 쏟아졌다. 카르밀라의 이야기를 듣고 간밤의 소동을 조금이라도 이해한 사람은 아무도 없었다.

아버지는 생각에 골몰한 채 방 안을 이리저리 오갔다. 나는 카르밀라가 기분 나쁜 눈길로 아버지를 몰래 흘깃거리는 것을 보았다.

아버지는 하인을 모두 돌려보냈다. 라퐁텐 양은 신경 안정제인 쥐오줌풀 뿌리와 각성제인 탄산 암모니아가 든 약병을 찾으러 나갔다. 아버지와 페로돈 부인, 나 이렇게 셋만 카르밀라와 함께 남자, 아버지는 골몰한 표정으로 카르밀라의 손을 아주 상냥하게 붙잡고 소파에 나란히 앉았다.

"얘야, 내가 넘겨짚고 묻는 걸 용서해주겠니?"

"뭐든 물어보세요. 기탄없이 물어보시면 다 말씀드릴게요. 하지만 제가 말씀드릴 수 있는 건 어리둥절하고 불분명한 이야기

뿐이에요. 아무것도 모르겠거든요. 뭐든 물어보세요, 다만 엄마가 제게 언질을 준 부분을 기억해주셨으면 합니다."

"기억하고말고. 네 어머니께서 원치 않는 부분에 대해서는 묻지 않겠다. 지금은, 간밤에 벌어진 신기한 일에 대해 말하려는 거야. 네가 잠든 채 침대와 방에서 옮겨졌는데, 당시 창문과 방문 둘은 모두 잠겨 있었단 말이지. 내 생각을 말하기 전에 우선 네게 한 가지 묻고 싶구나."

카르밀라는 힘없이 몸을 옹송그렸다. 페로돈 부인과 나는 숨죽인 채 귀를 기울였다.

"자, 묻겠다. 전에도 잠든 상태에서 걸어다닌 적 있니?"

"아주 어렸을 때 말고는 단 한 번도 없었어요."

"그렇다면 어렸을 때는 그런 적이 있었다는 말이구나?"

"예, 그랬어요. 늙은 보모가 그런 말을 자주 했거든요."

아버지를 미소를 머금고 고개를 끄덕였다.

"흠, 그렇다면 간밤에 벌어진 소동의 진상은 이런 것이겠구나. 너는 잠든 상태에서 일어나 방문을 연 다음, 여느 때처럼 자물쇠 구멍에 열쇠를 꽂아두지 않고 들고 나간 거야. 그리고 밖에서 방문을 잠근 거란다. 그런 뒤에 위층 혹은 아래층에 있는 스물다섯 개의 방 중 한 군데로 열쇠를 가져간 거지. 이 저택에는 방과 벽장뿐 아니라 육중한 가구와 목제 따위가 셀 수 없을 정도로 많아서 샅샅이 뒤지는 데 일주일은 걸린단다. 이제 내가 무슨 말을 하는지 알겠니?"

"예, 하지만 전부 이해하지는 못하겠어요."

"아빠, 그런데요, 저희가 꼼꼼히 살펴본 응접실에서 카르밀라가 발견된 건 어떻게 설명하죠?"

아버지는 웃으면서 대답했다.

"카르밀라는 나중에, 그러니까 네가 응접실을 살펴본 다음에 거기 들어간 거야. 여전히 잠든 상태로 말이다. 그러고는 잠에서 깼을 때 혼자 그곳에 있는 걸 깨닫고 무척 놀란 거지. 카르밀라, 네 말대로 이 괴상한 사건이 명백하고 악의 없는 일로 판명되었으면 좋겠구나. 이번 일이 마약이나 장난에서 비롯된 것도 아니고, 강도나 암살자 혹은 마녀와도 상관이 없는 게 분명하니 우리 모두 기뻐할 일이구나. 카르밀라뿐 아니라 우리 누구에게도 해를 끼칠 만한 일이 아니니까."

카르밀라는 아름답게 보였다. 더없이 아름다운 자태였다. 내 생각에, 우아한 분위기를 자아내는 특유의 나른함 때문에 아름다움이 더 도드라지는 것 같았다. 아버지는 카르밀라와 나의 표정을 말없이 살피고 있었던 듯하다. 이렇게 말한 걸 보면.

"우리 가엾은 로라가 예전처럼 건강해졌으면 좋겠구나."

아버지가 한숨을 내쉬었다. 그렇게 해서 우리의 불안감은 말끔히 사라졌고, 카르밀라는 친구들에게 돌아왔다.

제9장 의사

카르밀라가 한사코 다른 사람과 잠들기를 싫어하자, 아버지는 하인 한 명을 밤새 문밖에 세워둠으로써 카르밀라가 아무도

몰래 몽유병자가 되어 나다니는 일이 다시는 없게 했다.

그날 밤은 조용히 지나갔다. 다음날 아침, 아버지는 내게 일언반구 없이 의사를 불러왔다. 나를 진찰하기 위해서였다.

페로돈 부인이 나를 서재로 데려갔다. 앞에서 말했듯이, 심각하고 볼품없는 얼굴에 안경을 쓴 백발의 의사가 서재에서 나를 기다리고 있었다.

내 이야기를 듣는 도중에 의사의 얼굴은 점점 더 심각해졌다. 창가의 움푹 들어간 구석 자리에서 나와 의사는 서로 마주보고 서 있었다. 내가 이야기를 끝냈을 때, 의사는 벽에 어깨를 기댄 채 진지한 눈빛으로 나를 물끄러미 쳐다보았다. 그의 눈빛엔 호기심과 함께 강렬한 공포의 그림자가 담겨 있었다.

일 분쯤 생각에 잠겼던 의사가 아버지를 뵐 수 있는지 페로돈 부인에게 물었다.

아버지가 하인의 전갈을 받고 미소 띤 얼굴로 서재에 들어왔다.

"혹시 별일도 아닌데 선생을 불렀다고 날 늙은 바보 취급하려는 건 아니시오? 솔직히 그랬으면 좋겠소만."

그러나 몹시 심각한 얼굴의 의사가 가까이 오라는 눈짓을 보내자, 아버지의 미소는 사라지고 말았다.

두 사람은 좀 전에 내가 있던 구석 자리에서 한참동안 대화를 나누었다. 진지하고 열띤 대화가 오갔다. 서재는 아주 널찍했는데, 나와 페로돈 부인은 두 사람이 무슨 대화를 나눌까 몹시 궁금한 채로 그들과 멀리 떨어진 맞은편 끝에 서 있었다.

대화 소리가 아주 작아서 한 마디도 들리지 않았을 뿐더러, 창가의 구석 자리가 하도 깊숙이 들어가 있어서 의사의 모습은 아예 보이지도 않았다. 아버지의 발과 팔, 어깨 정도만 간신히 시야에 들어왔다. 두꺼운 벽과 창문이 밀실처럼 그들의 대화를 차단하는 듯했다.

잠시 후 아버지의 얼굴이 보였다. 생각에 잠긴 창백한 얼굴에 동요의 빛이 스치는 것 같았다.

"로라, 잠깐 이리 오너라. 그리고 부인, 의사 말씀이 당장은 별일 없다니까 가서 다른 일을 보셔도 되겠소."

나는 그날 처음으로 약간 불안해져서 아버지에게 다가갔다. 기운이 좀 없다뿐이지 아프거나 하지는 않았다. 게다가 마음이 즐거워지면 없던 기운이야 다시 생길 텐데 말이다.

아버지는 다가가는 내게 팔을 쭉 내밀었지만, 여전히 의사를 바라보면서 이렇게 말했다.

"정말 이상한 일이군요. 도통 이해할 수가 없소. 로라, 이리 오너라. 슈필스베르크 박사님 말씀을 잘 듣고 마음을 가라앉히렴."

"두 개의 바늘 같은 것으로 목 부분을 찔리는 기분이라고 했지. 처음으로 악몽을 꾸었을 때 말이다. 아직도 따끔거리니?"

"아뇨, 아무렇지도 않아요."

"찔렸다는 부위를 손가락으로 가리켜보겠니?"

"목구멍 조금 아래, 여기요."

나는 실내복을 입고 있었는데, 내가 가리킨 곳은 옷에 가려져 있었다.

"안심해도 괜찮다. 아빠가 네 옷을 약간 내리실 거야. 네가 겪은 증상을 살피기 위해 필요한 일이란다."

나는 그러라고 했다. 옷깃에서 삼사 센티 아래쪽이었다.

"맙소사! 정말이잖아."

아버지가 창백해진 얼굴로 소리쳤다.

"그것보세요, 이제 직접 보셨지요?"

의사가 음울하면서도 의기양양하게 말했다.

"무슨 일이에요?"

겁을 먹기 시작한 내가 소리쳤다.

"아무것도 아니란다, 우리 꼬마 아가씨. 그냥 조그만 푸른 점일 뿐이야. 네 손톱만큼 작은 것 말이다."

의사가 아버지를 향해 돌아섰다.

"자, 이제 가장 적절한 질문이 뭘까요?"

나는 온몸을 떨면서 다급히 물었다.

"위험한 건가요?"

의사가 대답했다.

"아니란다, 얘야. 상처가 왜 아물지 않는지 모르겠구나. 왜 몸이 금세 좋아지지 않았는지 모르겠어. 목 졸리는 기분이 든 부위도 같은 데니?"

"예."

"자, 최대한 기억을 더듬어보렴. 방금 전에 말했듯이 차가운 물결에 휩쓸리는 오싹한 기분이 든 곳도 같은 데니?"

"그런 것 같아요."

"아, 들으셨죠?"

의사가 아버지를 향해 말했다.

"페로돈 부인과 이야기 좀 할 수 있을까요?"

"그럼요."

아버지는 페로돈 부인을 불러 그녀에게 말했다.

"지금 보니 우리 꼬마 친구의 상태가 썩 좋지 않소. 큰일이 없었으면 좋겠소만. 몇 가지 조치를 취해야겠소. 나중에 차근차근 설명하리다. 그때까지는 한 순간도 로라가 혼자 있지 않게 신경 써주시오. 당장 할 일은 그것뿐입니다. 아주 중요한 일이오."

아버지는 이렇게 덧붙였다.

"알다시피, 부인한테 많은 도움을 받아야 하는 형편이오."

페로돈 부인은 기꺼이 분부대로 하겠다고 말했다.

"그리고 너, 로라, 의사 선생님 말씀대로 해야 한다."

"아까 자세히 말했소만, 내 딸아이와 증세가 비슷한 환자에 대해서도 선생의 의견을 구해야겠소. 아주 경미한 증상이지만 그래도 딸아이와 상당히 비슷한 것 같소. 우리 집 손님으로 있는 젊은 아가씨죠. 저녁 때 또 한 번 오셔야 할 텐데, 여기서 함께 식사를 하시는 편이 좋겠소. 식사 후에 그 아가씨를 만납시다. 아가씨는 오후가 될 때까지 아래층으로 내려오지 않거든요."

"고맙습니다. 그럼 저녁 일곱 시경에 뵙지요."

두 분은 나와 페로돈 부인에게 좀 전의 당부를 거듭 말한 뒤, 밖으로 나갔다. 길과 해자를 지나 수풀이 우거진 곳까지 나란히 걸어가면서 그들은 진지하게 대화를 주고받았다.

의사는 성 앞에서 말을 타고는 동쪽으로 숲속을 달려 돌아갔다.

그와 거의 동시에, 드란필드에서 편지를 가져온 남자가 말에서 내려 아버지에게 자루 하나를 건넸다.

한편 페로돈 부인과 나는 무슨 일로 아버지와 의사가 동시에 그토록 특별하고 심각한 당부를 했을까 추측하느라 열을 올렸다. 페로돈 부인이 나중에 말하기를, 의사는 갑작스러운 발병이 일어났을 때 누군가 신속하게 도와줄 사람이 곁에 없으면 내가 목숨을 잃거나 심각한 상태에 빠질 거라고 걱정하는 모양이라고 했다.

페로돈 부인의 해석은 그럴듯하게 들리지 않았다. 내 생각에는, 내가 너무 많이 뛰어놀거나 설익은 과일을 먹거나 혹은 어린이들이 하기 마련인 쉰 가지쯤의 유치한 일들을 못하게 하려고 아버지와 의사가 작전을 짠 것 같았다.

삼십 분쯤 뒤에 아버지가 들어왔다. 손에 편지가 들려 있었다.

"편지가 늦게 도착했구나. 슈필스도르프 장군이 보낸 편지야. 어제 이곳에 도착할 예정이었는데, 늦으면 오늘이나 내일 도착한다는구나."

아버지가 내게 편지를 건넸다. 하지만 장군처럼 아주 좋아하는 손님이 오는데도 썩 기쁜 내색이 아니었다. 오히려 바닷물에라도 뛰어들려는 듯한 표정이었다. 뭔가 말 못 할 비밀이 있는 게 분명했다.

"아빠, 궁금한 게 있는데 대답해주실 거죠?"

나는 갑자기 아버지의 팔을 잡고 애원하는 표정으로 말했다.

"아빠가 아는 거라면."

아버지는 내 눈가에 흘러내린 머리칼을 매만지며 말했다.

"제가 많이 아프다고 의사 선생님이 그러세요."

"아니란다. 의사 선생님은 적절한 조치를 취하면 네가 아주 건강해질 거라고 하셨단다. 적어도 하루 이틀 뒤엔 말짱할 정도로 좋아진다고. 우리 친구, 슈필스도르프 장군이 다른 때에 왔더라면 좋았을걸. 내 말은, 네가 말짱하게 나았을 때 말이야."

아버지의 목소리는 약간 무미건조하게 느껴졌다.

"하지만 아빠, 말씀해주세요. 의사 선생님이 저한테 무슨 문제가 있다고 하세요?"

나는 고집을 부렸다.

"아무 문제도 없어. 자꾸 아빠를 성가시게 하면 못써."

아버지는 전에 없이 짜증을 냈는데, 내 기억에 그런 모습은 처음이었다. 그러나 내가 마음이 상한 것을 보았는지 내 볼에 입을 맞추면서 이렇게 덧붙였다.

"하루나 이틀 안에 다 알게 될 거야. 아빠도 그것밖에는 몰라. 그러니까 애써 골치 아프게 생각할 필요 없단다."

그러고는 방을 나갔던 아버지는 내가 그 이상한 상황에 대해 나름으로 궁리를 채 해보기도 전에 다시 나를 찾아왔다. 카렌슈타인 성에 갔다 올 생각이니 열두 시까지 마차를 준비하라고 하인에게 이른 뒤, 나와 페로돈 부인도 함께 가야 한다고 말했다. 볼일이 있어서 경치가 아름다운 카렌슈타인 인근에 사는 신부님을 뵈러 간다는 것이었다. 폐허가 된 성에서 먹을 간식거리를 준비하던 라퐁텐 양이, 그쪽 지역을 구경한 적 없는 카르밀라도 아래층으로 내려오는 대로 함께 뒤따라갈 예정이라고 했다.

열두 시 정각, 아버지와 페로돈 부인 그리고 나는 준비를 끝내고 마차에 올랐다.

가동교를 지나 오른쪽으로 방향을 잡았다. 가파른 고딕풍 다리를 건너, 버려진 마을과 폐허가 된 카렌슈타인 성을 향해 서쪽으로 마차를 몰았다.

숲속을 관통하는 마차 여행처럼 근사한 것은 없다. 길은 어느새 완만한 언덕과 분지로 이어졌다. 인공림과 조경술 같은 형식성과는 거리가 먼, 아름다운 수목이 빽빽이 들어차 있었다.

불규칙한 지형 때문에 종종 샛길로 빠져들어, 무너진 분지와 가파른 산허리를 구불구불 돌아갈 때는 정말 근사했다. 예측할 수 없는 지세가 그야말로 무진장 펼쳐져 있었다.

그렇게 굽잇길을 돌아가는데 느닷없이 말을 탄 슈필스도르프 장군이 하인과 함께 우리 쪽으로 달려오는 모습이 보였다. 뒤따르는 짐마차 같은 데에 장군의 큼지막한 여행 가방이 실려 있었다.

우리가 멈춰 서자 장군이 말에서 내렸다. 일상적인 인사가 오간 뒤 장군은 쾌히 우리 마차에 올라탔고, 말과 하인은 숲로스로 보냈다.

제10장 가족의 죽음

장군을 다시 만난 것은 열 달 만의 일이었다. 장군의 얼굴에는 지나간 시간의 흔적이 역력했다. 많이 여윈 모습이었고, 평소 장군의 특징이던 담대한 침착성 대신 음울함과 근심이 어려 있었다. 언제나 예리하게 빛나던 짙푸른 눈동자는 텁수룩한 회색빛 눈썹 아래 혹독한 고뇌의 그림자를 담고 있었다. 그런 변화는 비통함 외에도 격앙된 감정에서 비롯된 것으로 보였다.

마차가 다시 움직인 지 얼마 지나지 않았을 때, 장군은 군인다운 직설화법으로 사랑하는 조카딸이자 피후견인을 잃은 슬픔에 대해 말하기 시작했다. 그런데 어느 순간부터 몹시 비분강개한 어조로 조카딸을 앗아간 "흉악한 술책"을 성토하더니, 급기야 신성모독에 가까운 분노감으로 하늘이 어찌 그토록 끔찍한 악마의 탐욕과 악의를 묵과하는지 모르겠다고 의구심을 나타냈다.

뭔가 심상찮은 일이 벌어졌음을 간파한 아버지는, 왜 그런 생각을 하는지 자초지종을 상세히 알려줄 수 있겠느냐고 장군에게 조심스럽게 물었다.

"기꺼이 말해주지. 하지만 자네는 내 말을 믿지 않을 걸세."
"내가 왜?"
장군이 퉁명스럽게 대답했다.
"왜냐, 자네야말로 자신의 편견과 환상 외에는 아무것도 믿지 않는 사람이니까. 나도 자네와 다를 바 없었지만 지금은 더 많은 걸 알게 됐네."
"말해보게. 난 자네 생각처럼 그리 독단적인 사람이 아닐세. 게다가 자네는 근거 없이 함부로 믿는 사람이 아니니, 난 이미 자네가 무슨 말을 하든 기정사실로 받아들일 준비가 되어 있어."
"자네 말처럼 난 신기한 일 따위를 경솔하게 믿는 사람이 아닐세. 내가 당한 일은 신기하다고밖에 할 수 없어. 게다가 나를 사로잡은 명백한 증거라는 것도 내 모든 사고체계를 뒤엎는 것이었지. 난 불가사의한 음모에 감쪽같이 속아 넘어간 거야."
장군을 믿는다고 단언하기는 했지만, 이쯤에서 장군을 힐끔거리는 아버지의 시선에는 의혹이 스치는 것 같았다.
다행히 장군은 아버지의 시선을 눈치 채지 못했다. 그는 음울하면서도 호기심 어린 눈으로 우리 앞에 펼쳐진 숲을 바라보고 있었다.
"카렌슈타인 성터에 가는 길이라고? 그거 참 잘됐어. 그곳을 조사해보자고 자네한테 부탁하려던 참이었거든. 그곳을 조사해야 하는 특별한 목적이 있지. 거기 폐허가 된 예배당이 있지? 대가 끊어진 카렌슈타인 가문의 무수한 묘지와 함께 말이야."

"있고말고. 아주 흥미로운 곳이지. 혹시 카렌슈타인 가문의 작위와 부동산을 되찾으려는 생각인가?"

아버지가 쾌활하게 말했다. 그러나 장군은 친구의 농담을 예의상 웃어넘길 만하건만 미소조차 짓지 않았다. 오히려 분노와 공포를 일깨우는 뭔가를 반추하는 듯 심각하고 무서운 표정이었다.

그가 무뚝뚝하게 말했다.

"그런 일과는 거리가 멀어. 그 훌륭한 가문의 묘지 몇 구를 파헤쳐야 한다는 말일세. 내가 여기서 행할 신성모독이 부디 이 땅을 괴물들에게서 구하고, 사람들이 살인마들의 손아귀에서 벗어나 편히 잠들 수 있게 하기를 바랄 뿐일세. 여보게, 내가 자네한테 들려줄 얘기는 참으로 기이한 일이야. 몇 개월 전만 하더라도 그런 이야기를 들었더라면 나부터 가당찮은 이야기라고 콧방귀를 뀌었을 테니까."

아버지는 또 한 번 장군을 쳐다보았지만, 이번에는 의혹의 눈초리가 아니었다. 예리한 지성과 경계의 눈빛이었다.

"카렌슈타인 가문은 오래전에 대가 끊겼어. 적어도 백 년은 됐으니까. 내 아내의 외가 쪽이 카렌슈타인 가문의 혈통이었지. 하지만 가문의 이름이나 지위는 사라진 지 오래야. 성은 폐허가 되었고 마을은 버려졌으니까. 마을 굴뚝에서 마지막으로 연기가 피어오른 게 오십 년 전이야. 지붕 하나 남은 집도 없어."

"맞는 말일세. 자네를 마지막으로 본 이후 나도 카렌슈타인 가문에 대해 많은 정보를 얻었거든. 자네가 들으면 깜짝 놀랄

이야기가 많지. 하지만 자초지종을 차근차근 말해주는 게 낫겠지. 내 조카딸, 아니 내 딸아이나 다름없는 그 아이를 자네도 본 적이 있을 거야. 세상에서 가장 아름다운 피조물이었지. 하지만 석 달 전에 미처 피어보지도 못하고 죽고 말았네."

"그래, 정말 가여워! 전에 봤을 때만 해도 참 사랑스러운 모습이었는데. 이봐, 친구. 나 또한 충격과 슬픔을 뭐라 표현하기 어렵네그려. 자네가 얼마나 상심이 클지 잘 알아."

아버지는 장군의 손을 잡아끌었다. 두 사람은 서로의 손을 힘주어 맞잡았다. 늙은 군인의 눈에 눈물이 고였다. 그는 애써 눈물을 감추려 하지 않았다.

"우리는 아주 오랜 친구야. 자식이 없는 나를 자네가 안쓰럽게 생각하는 걸 알아. 난 그 아이에게 온 정성을 다했네. 내가 준 애정에 보답하듯 그 아이는 집안에 활기를 주고 내 삶에 행복을 주었지. 그 모든 게 사라져버렸어. 내가 살날은 이제 얼마 남지 않았지. 하지만 신의 은총을 빌려, 죽기 전에 인류를 위해 유익한 일을 하고 싶네. 희망과 아름다움의 싹을 채 틔우기도 전에 내 가여운 아이를 죽인 그 악마에게 기필코 복수하겠네!"

"자초지종을 차근차근 말해준다고 하지 않았나. 그리 해주게. 단지 호기심 때문에 채근하는 것이 아닐세."

그즈음, 마차는 좀 전에 장군이 지나쳐온 드룬스탈 도로에 다다랐다. 우리가 줄곧 카렌슈타인 방면으로 달려온 길에서 갈라지는 분기점이기도 했다.

"폐허까지는 얼마나 멀지?"

장군이 초조하게 앞쪽을 살피면서 물었다.

"약 삼 킬로 정도. 자, 약속한 이야기를 들려주게."

제11장 사건의 내막

"사랑스러운 그 아이는."

장군은 힘겹게 말문을 열었다. 잠시 이야기를 정리하듯 뜸을 들인 뒤, 장군의 입에서 흘러나온 이야기는 너무도 기묘한 것이었다.

"자네가 따뜻하게 배려해준 이번 초대를 진심으로 손꼽아 기다리고 있었네. 자네의 아름다운 여식과 만나게 될 날을 기다리면서."

장군은 나를 향해 몸을 굽혀 인사를 건넸다. 정중하면서도 서글퍼 보였다.

"그 와중에 오랜 친구인 카를스펠트 백작에게서 초대장을 받았네. 백작의 성은 카렌슈타인에서 반대쪽으로 삼십 킬로미터쯤 떨어져 있지. 자네도 기억하겠지만, 당시 백작의 성을 방문한 찰스 대공을 위해 축연이 열렸잖아. 백작이 마련한 그 축연에 우리가 초대를 받은 셈이지."

"그래, 아주 성대했다고 들었어."

"으리으리하더군! 백작의 환대도 극진했지. 그 사람, 알라딘의 램프라도 가지고 있나봐. 내 슬픔이 시작된 그날 밤 화려한 가면무도회가 열렸지. 성터가 활짝 개방되었고, 나무마다 오색등이 걸려 있더군. 불꽃놀이는 파리에서조차 볼 수 없는 장관이었어. 게다가 음악은 또 얼마나 황홀하던지! 내가 음악에는 사족을 못 쓰잖아. 세계 최고의 악단을 불러오고, 유럽 최대의 오페라단에서 최상급 가수들만 끌어 모은 것 같았으니까. 휘황찬란한 성터, 길게 늘어선 창문을 통해 장밋빛 조명을 내뿜는 달빛 속의 성채. 그 복판을 이리저리 거닐다보면 불현듯 숲의 침묵을 깨뜨리면서 혹은 호반의 보트에서 환호성이 들려왔지. 그렇게 보고 듣는 동안, 나는 어느새 젊은 시절의 낭만과 시심(詩心) 속으로 빠져드는 걸 느꼈네.

불꽃놀이가 끝나고 무도회가 시작됐지. 우리는 무도회용으로 개방된 웅장한 방으로 돌아갔어. 자네도 알다시피 가면무도회라는 게 원래 아름답잖아. 하지만 그토록 황홀한 광경은 난생 처음이었어.

귀족들의 모임다웠지. '별 볼일 없는 사람'은 나 혼자뿐이라는 생각이 들더군.

내 아이는 참으로 아름다웠네. 가면을 쓰고 있지 않았어. 늘 아름답던 그 아이의 자태에는 흥분과 기쁨 때문에 신비한 매력까지 덧씌워져 있었지. 그런데 화려한 옷차림에 가면을 쓴 젊은 여성 한 명이 내 시선을 잡아끌더군. 그녀도 특별한 관심을 보이며 내 아이를 살피는 것 같더라고. 그날 저녁 난 커다란 홀에서 그녀를 보았네. 그리고 얼마 뒤에도 비슷한 옷차림으로 테라스에서 우리 곁을 지나갔었지. 또 한 여자, 역시나 화려하고 근엄한 옷차림에 가면을 쓰고 지체 높은 사람처럼 도도한 분위기를 풍기는 귀부인이 보호자처럼 젊은 여성과 동행하고 있었지. 젊은 여성이 가면만 쓰고 있지 않았더라면 가여운 내 아이를 정말로 관심 있게 살피는지 좀 더 정확하게 알 수 있었을 텐데 말이야. 지금은 과연 그랬다는 확신이 들어.

우리는 응접실 중 한 곳에 들어갔네. 줄곧 춤을 추던 내 가여운 아이는 문가의 의자에 앉아 잠시 쉬고 있었지. 나는 그 곁에 서 있었어. 그런데 앞에서 말한 두 여자가 다가오더니, 그중 젊은 아가씨가 내 아이 옆자리에 앉았어. 한편 아가씨와 동행한 귀부인은 내 곁에 서서 목소리를 낮추고는 슬쩍 자기소개를 하더군.

그 여자는 가면을 쓰고 있다는 이점을 십분 살려서 내게 돌아섰고, 오랜 친구처럼 내 이름을 부르며 대화를 시작했어. 꽤 호기심이 동하더군. 그녀는 궁전이며 웅장한 저택 등등에서 나를 만난 적이 있다며 여러 곳을 열거했지. 내가 오래전에 잊어버린 사소한 일들까지 넌지시 말했는데, 생각해보니 내 기억의 심연 속에 머물러 있던 일들이 그녀의 입김이 닿자마자 생생하게 되살아나는 거야.

과연 그녀의 정체가 무엇일까, 시시각각 내 호기심은 더해만 갔어. 내가 호기심의 해답을 찾으려 할 때마다 그녀는 교묘하면서도 유쾌하게 피해가더군. 어떻게 그녀가 내 삶의 질곡들을 그리도 속속들이 알고 있는지 놀라울 뿐이었지. 내 호기심을 잘도 피해가던 그녀는, 내가 이런저런 추측을 오가며 어리둥절해하는 모습을 보고 꽤 즐거워하더군.

그녀는 젊은 아가씨를 자신의 딸이라며 '밀라르카'라는 묘한 이름으로 불렀어. 밀라르카는 어머니처럼 느긋하고 우아하게 자기소개를 한 뒤, 내 아이와 한창 대화를 나누고 있었지.

밀라르카는 자신의 어머니와 내가 오랜 친분을 쌓아왔다고 내 아이에게 말하더군. 가면 덕분에 지나치지 않으면서도 대담하게 말을 하고 있었어. 친구처럼 말이야. 내 아이의 옷차림을 칭찬하는가 하면 참 예쁘게 생겼다며 은근하고도 살갑게 굴더군. 게다가 무도회에 모인 사람들을 농담조로 비꼬았는데, 재미있어하는 내 아이를 보고 웃음을 터뜨렸어. 기분이 좋아진 밀라르카는 재기발랄해 보였어. 얼마 후, 두 아이는 아주 절친한 친구가 되었지. 그리고 그 젊은 이방인이 가면을 벗자 기막히게 아름다운 얼굴이 드러났어. 나도 내 아이도 처음 보는 얼굴이었어. 낯선 얼굴이었지만 너무도 매력적이고 아름다운 모습을 보고 무덤덤하기란 불가능하더군. 내 아이도 마찬가지였어. 첫눈에 그토록 매력적이라 느낀 사람은 난생 처음이었다네. 그런데 그 낯선 아가씨도 내 아이에게 홀딱 반한 표정이더라고.

한편, 가면을 쓰고 있다는 걸 이용해서 나는 귀부인에게 꽤 많은 질문을 하고 있었지. 내가 웃으면서 말했어.

'사람을 정말 어리둥절하게 만드시는군요. 그 정도면 충분하지 않습니까? 자, 지금부터 공평하게 대화를 나누는 데 동의하신다면 그 가면을 벗어주시겠어요?'

'그보다 더 부당한 요구는 없을 거예요. 여성에게 유리한 점을 포기하라니요! 어떤 여성에게든 자기만의 특권을 포기하라고 요구해보세요! 게다가 당신이 나를 알아볼 거라고 어떻게 장담할 수 있지요? 세월이 흐르면 모두 변하니까요.'

'보시다시피 저도 변했지요.'

나는 몸을 굽히며 말했어. 아마 조금은 씁쓸한 웃음을 지은 것도 같아.

'철학자들 말이 틀리지 않아요. 내 얼굴을 본다고 뭐가 달라지죠?'

'뭐가 달라지는지 알고 싶군요. 늙은 여자처럼 굴어도 소용없어요. 당신의 자태는 그렇지 않으니까 말입니다.'

'하지만 우리가 마지막으로 서로를 본 뒤 많은 세월이 흘렀어요. 그래서 걱정하는 거예요. 밀라르카, 저 아이가 내 딸이에요. 그러니 내가 당신 생각처럼 젊지는 않겠지요. 경륜과 너그러움을 지닌 사람들이 보기에도 내가 젊다고는 못할 거예요. 당신이 기억하는 내 모습과 비교당하기는 싫답니다. 당신은 벗어야 할 가면도 없잖아요. 내가 가면을 벗는 대가로 당신이 줄 만한 게 없다고요.'

'제발 간절한 부탁이니, 가면을 벗어주시길.'

'나 또한 간절한 부탁이니, 가면을 그냥 내버려주시기를.'

'휴우, 그렇다면 당신이 프랑스인인지 독일인인지 정도는 말해줄 수 있겠지요. 두 나라말을 완벽하게 구사하고 있잖아요.'

'그걸 알려드리면 안 될 것 같군요, 장군님. 지금 기습 공격을 하려고 공격 지점을 찾고 계시잖아요.'

'다 좋습니다, 하지만 이것만큼은 부인하지 못하시겠지요. 지금 우리는 당신 허락 하에 대화를 나누고 있어요. 당신을 뭐라고 지칭할지는 알아야 하지 않을까요? 그냥 백작부인이라고 불러도 괜찮을는지요?'

그녀는 큰 소리로 웃더군. 또 은근슬쩍 넘어갈 심산 같았어. 지금 생각해보면 그날의 모든 일은 아주 교활하게 사전에 준비되었고, 우연을 가장해서 언제든지 다시 바뀔 수도 있는 것이었지.

'그렇게 부르고 싶으시다면.'

그녀가 말했어. 하지만 그녀가 막 입을 열자마자 한 남자가 끼어들더군. 검은 옷차림의 그 신사는 시체를 제외하고는 내가 본 사람 중에서 얼굴이 가장 창백했는데, 그런 결점이 있음에도 유난히 우아하고 출중해 보였지. 그는 가면을 쓰지 않았고 평범한 신사용 야회복 차림이었어. 얼굴에는 웃음기 하나 보이지 않으면서도 지나칠 정도로 허리를 굽히더니 그가 정중하게 말하더군.

'백작부인, 무척 흥미로운 일이 있는데 말씀을 올려도 되겠습니까?'

귀부인은 재빨리 그 사람을 향해 돌아서더니 조용히 하라는 듯 손가락을 입술에 갖다 댔어. 그러고는 내게 말했지.

'내 자리를 맡아주세요, 장군님. 몇 마디 말만 나누고 돌아올 테니까요.'

그녀는 장난스럽게 명령을 내리고는 검은 옷차림의 신사와 약간 거리를 두고 걸어갔어. 두 사람은 몇 분 동안 꽤 진지하게 이야기를 나누더군. 그러더니 그들은 유유히 군중 속으로 걸어 들어갔는데, 한동안 내 시야에서 사라져버렸어.

잠시 짬이 난 틈을 타서 나는 너무도 친절하게 나를 기억하고 있는 그 여성의 정체에 대해 골몰히 생각해보았네. 그러다가 관심을 돌려 내 아이와 백작부인의 딸 사이에 오가는 대화에 끼어들까도 생각했지. 한편으로는 백작부인이 돌아올 때까지 그녀의 이름, 작위, 성, 혹은 영지가 어디인지를 기억해내어 그녀와 나눌 대화를 만반으로 준비해둘 요량이었지. 하지만 어느새 그녀가 돌아와 있더군. 동행한 검은 옷의 창백한 신사가 이렇게 말했어.

'문 앞에 마차가 준비되는 대로 백작부인께 알려드리겠습니다.'

그는 허리를 굽히고 사라졌어."

제12장 간곡한 부탁

"'곧 백작부인과 헤어져야겠군요. 몇 시간만 함께 있어주셨으면 합니다만.'

나는 정중하게 허리를 굽히고 말했네.

'몇 시간이 될지 아니면 몇 주가 될지 모르지요. 저 사람이 하필 지금 말을 한 것이 불행이군요. 이제 내가 누군지 아시겠어요?'

나는 모르겠다고 말했지.

'아시게 될 거예요. 하지만 지금은 아니에요. 우리는 당신이 생각하는 것보다 더 오래되고 좋은 친구 사이일 테니까요. 아직은 내가 누구인지 말할 수가 없답니다. 삼 주 안에 나는 당신의 아름다운 성을 지나갈 거예요. 그 성에 대해 줄곧 알아보고 다녔거든요. 그때가 되면 당신을 한두 시간 찾아뵙고, 언제나 유쾌함으로 떠올리던 당신과의 우정을 새로이 다질 생각이에요. 지금은 천청벽력처럼 내게 급보가 날아들었답니다. 당장 길을 떠나야 해요. 백오십 킬로가 넘는 험한 길을 전속력으로 달려가야 한답니다. 점점 당혹스러워지네요. 특별히 부탁드릴 것이 있건만, 이름을 밝힐 수 없는 부득이한 사정 때문에 말문이 떨어지지 않는군요. 내 딸아이는 아직 건강을 회복하지 못한 상태예요. 사냥을 하던 중, 인적이 없는 곳까지 갔다가 낙마를 하고 말았답니다. 그 충격에서 여태 벗어나지 못하고 있어요. 주치의에 따르면 당분간 격한 운동은 금물이라는군요. 그래서 여기까지 오는 동안 하루에 이십 킬로 남짓만 이동하면서 최대한 천천히 여행을 해왔답니다. 지금부터 밤낮으로 말을 몰아야 하는 여정에 올라야 합니다. 생사가 걸린 일이에요. 우리가 다시 만나게 된다면, 수주일 내에 그렇게 되기를 간절히 바라지만, 그때는 이번일이 얼마나 중대하고 시급했는지 당신께 숨김없이 설명드릴 수 있겠지요.'

그녀는 거듭 부탁의 말을 했는데, 호의를 구하기는커녕 오히려 은혜를 베푸는 사람의 말투더군. 자기도 모르게 베어나는 태도 같았지. 사실 말의 내용만 따지자면 세상에서 그토록 애절한 부탁도 없었으니까. 그 부탁인즉슨, 그녀가 없는 동안 딸아이를 맡아달라는 것이었지.

아무리 생각해도, 뻔뻔하다고는 못해도 퍽 이상한 요구였어. 내가 거절할 만한 이유를 모조리 먼저 말하고 인정하는 한편, 내 기사도에 철저히 의지함으로써 나를 꼼짝달싹 못 하게 만들더군. 바로 그 순간, 숙명의 힘에 이끌리듯 내 아이가 다가와서는 조그만 목소리로 새 친구 밀라르카를 초대해달라고, 우리 성에 오게 해달라고 애원했어. 밀라르카의 어머니가 허락해주신다면 더없이 기쁘겠다고 말이야.

여느 때 같았으면 내 아이에게 잠시만 기다리자고, 최소한 그들이 누구인지 알 때까지라도 기다리자고 말했을 걸세. 하지만 당시에는 생각할 겨를이 없더군. 두 아가씨가 한꺼번에 나를 다그쳤으니 말일세. 솔직해 말해서, 내가 결심을 굳힌 이유는 그 젊은 아가씨의 섬세하고 아름다운 얼굴, 고귀한 신분에서 느껴지는 열정과 우아함, 게다가 사람을 잡아끄는 굉장한 매력 때문이었네. 지나치게 감상적인 상태에서 밀라르카라는 아가씨를 보호하겠노라 섣불리 허락한 셈이었지.

백작부인이 자신의 딸을 손짓하여 부르더군. 어머니가 말을 하는 동안에 밀라르카는 심각하게 귀를 기울였지. 백작부인은 갑자기 떠나게 된 사정과 내가 보호해주겠다고 약속한 것에 대해 말해주면서, 나와는 아주 오래전부터 절친한 친구 사이라고 덧붙였지.

이미 결정된 마당에 딴소리를 할 수는 없었는데, 생각해보면 썩 내키지 않은 상황에 빠져들고 만 거야.

다시 돌아온 검은 옷의 신사가 아주 정중하게 백작부인을 방에서 데리고 나갔어.

그 신사의 태도로 미루어, 백작부인이 단순한 호칭 이상으로 유력한 인물이라는 확신이 들었네.

백작부인이 내게 건넨 마지막 말은, 그녀가 돌아올 때까지 자신의 정체에 대해 필요이상 파고들지 말라는 것이었어. 우리를 초청한 성주는 이미 그녀의 피치 못할 사정을 잘 알고 있다면서 말이지.

그녀가 말했어.

'하지만 이곳에서는 나도 딸아이도 하루 이상은 안심하고 머물 수 없어요. 한 시간쯤 전에 경솔하게도 잠시 가면을 벗은 일이 있는데, 그때 당신이 내 얼굴을 봤을 거라고 생각했어요. 그래서 당신과 잠깐 이야기를 나눠야겠다고 결심했지요. 만일 당신이 나를 본 것이 맞다면, 몇 주만 나에 대한 비밀을 지켜 달라고 애원할 생각이었어요. 하지만 당신이 나를 보지 못했다는 사실을 알고 적잖이 안심이 되었지요. 만일 당신이 지금도 내 정체에 대해 의심을 품거나 고민한다면, 당신의 인품에 내 모든 것을 걸고 호소할 수밖에 없겠지요. 딸아이도 나처럼 비밀을 지킬 겁니다. 혹시 그 아이가 경솔하게 비밀을 누설하지 않게 당신이 직접 내 딸아이에게 비밀을 함구하라고 수시로 깨우쳐주시리라 믿어요.'

그녀는 밀라르카에게 몇 마디 속삭이고는 서둘러 두 번 입을 맞추었지. 그러고는 검은 옷의 창백한 신사와 함께 군중 속으로 사라졌어.

밀라르카가 말했어.

'저기 옆방에요, 현관이 내려다보이는 창문이 있어요. 엄마가 가시는 모습을 지켜보면서 손짓으로나마 작별 인사를 하고 싶어요.'

물론 우리는 밀라르카의 말을 받아들이고 함께 창문가로 갔네. 창 아래를 내려다보니 고풍스럽고 멋진 마차와 여행 종자 한 무리 그리고 마부가 보이더군. 이윽고 호리호리한 모습을 나타낸 검은 옷의 창백한 신사가 두터운 벨벳 망토를 백작부인의 어깨에 덮어주고 머리에 두건을 씌워주었어. 그는 마차의 문이 닫힐 때까지 연신 허리를 굽혔지. 이내 마차가 움직이기 시작했어.

'엄마가 가버렸어요.'

밀라르카가 한숨 섞인 말을 하더군.

'정말 가버렸군.'

나는 혼잣말을 되뇌었지. 밀라르카를 맡겠다고 승낙한 이후 순식간에 벌어진 상황 앞에서, 내가 얼마나 어리석었는지 처음으로 떠올렸어.

'엄마는 올려다보지도 않네요.'

밀라르카가 애처로이 말했어.

'어머니는 가면을 벗고 있어서 얼굴이 보일까봐 신경을 쓰시

는 거야. 게다가 아가씨가 창가에 서 있는 줄 모르실 거야.'

밀라르카는 한숨을 쉬고 나를 바라보았어. 그 아름다운 모습에 측은한 마음이 들더군. 잠시나마 좀 전의 결정을 후회했다는 것이 미안할 정도였어. 그래서 나는 마음속에 품었던 인색함을 보상하려고 밀라르카에게 더 잘해주겠노라 마음먹었지.

밀라르카는 가면을 바꿔 쓰고는 내 아이와 합세하여 나더러 아래층으로 내려가자고 조르더군. 곧 연주회가 재개될 예정이었거든. 우리는 성의 창문 아래로 난 테라스를 따라 걸었어. 우리와 아주 친해진 밀라르카는 테라스에서 보이는 지체 높은 사람들에 대해 이러쿵저러쿵 실감나게 이야기를 해주어 우리를 즐겁게 했지. 나는 시간이 흐를수록 밀라르카가 더욱 마음에 들었어. 귀족들에 대한 악의 없는 그녀의 이야기를 듣노라니, 오랫동안 동떨어져 살아온 그들만의 세계가 꽤나 흥미진진하게 느껴지더군. 그리고 저녁 시간이면 종종 쓸쓸해지는 우리의 일상에 밀라르카가 활기를 줄 거라고 생각했지.

태양이 지평선에 떠오르도록 무도회는 계속되었네. 그때까지 대공은 춤을 추며 즐거워했고, 왕족들도 집으로 돌아가거나 잠을 청하러 침대를 찾는 이가 없었어.

우리가 북적이는 응접실로 돌아왔을 때였네. 밀라르카는 어떻게 되었냐고 조카딸이 묻더군. 나는 밀라르카가 조카딸과 함께 있을 거라고 생각했는데, 내 아이는 반대로 나와 있는 것으로 알고 있었지. 결국 밀라르카를 잃어버린 셈이었어.

밀라르카를 찾으려고 갖은 노력을 다했지만 헛수고였네. 혹시 우리와 잠시 떨어져 있는 동안 우리와 다른 사람들을 헷갈린 건 아닐까 걱정이 되더군. 그래서 다른 사람을 쫓아가다가 그만 드넓은 성터에서 길을 잃었을지 모른다고 말일세.

어린 아가씨를 보호해주겠다면서 이름 외에는 변변히 알아둔 것이 없다니, 내 어리석음이 새삼 사무치더군.

아침이 밝았어. 내가 수색을 포기할 무렵에는 이미 날이 훤히 밝은 후였지. 그리고 다음날 오후 두 시 무렵까지 실종된 밀라르카에 대해 아무런 소식도 듣지 못했네.

두 시쯤, 하인 한 명이 내 조카딸이 묵던 방문을 두드렸어. 하인의 말에 따르면, 얼굴에 수심이 가득한 어떤 아가씨가 슈필스도르프 장군과 그의 딸을 어디서 찾을 수 있냐고, 어머니의 부탁으로 그분들의 보호를 받기로 했다고 심각하게 물었다는군.

하인의 말에는 약간 잘못된 부분이 있기는 했지만 밀라르카가 틀림없다는 생각이 들었지. 실제로 그 아이였어. 세상에, 그 아이를 잃어버릴 뻔했잖나!

밀라르카는 내 조카딸에게 어쩌다가 우리를 잃어버렸는지, 왜 그동안 다시 찾아오지 못했는지 자초지종을 설명해주었지. 전날 늦은 시각까지 우리를 찾지 못하고 낙담한 채, 가정부의 침실에 들어갔다가 곧 잠에 곯아떨어졌다는군. 오랫동안 잠을 잤는데도 무도회에서 피로가 누적된 탓에 간신히 몸을 추스를 정도였다는 거야.

그날 우리는 밀라르카와 함께 집으로 돌아왔네. 사랑하는 조카딸의 매력적인 친구가 무사하다는 생각에 나는 마냥 기분이 좋았지."

제13장 나무꾼

"하지만 며칠이 지나자 몇 가지 문제가 드러났어. 우선, 밀라르카는 최근에 앓았다는 병마의 후유증 때문인지 극도의 무력감을 하소연했어. 게다가 오후가 훌쩍 지난 뒤에야 자기 방에서 나왔지. 다음으로, 우연히 알게 된 사실인데 언제나 방문을 안에서 잠갔고, 하녀가 화장실을 청소하겠다고 허락을 구하기 전에는 문을 열어주지 않았네. 그런데 이른 아침에 밀라르카가 자기 방에 없는 일이 간혹 있었어. 낮에도 몇 번씩 방을 비웠지. 첫 여명이 밝아오는 새벽 무렵에 성의 창문 너머로 밀라르카를 봤다는 말이 끊이질 않았어. 동쪽을 향해 나무 사이를 걸어가는 모습이 마치 뭔가에 홀린 사람 같았다는 거야. 나는 밀라르카에게 몽유병이 있는 건 아닐까 생각했지. 그렇다 해도 수수께끼가 풀리지 않더군. 방문을 안에서 잠근 상태에서 어떻게 밖으로 나올 수 있을까? 문이나 창문의 빗장이 그대로인데 어떻게 저택 밖으로 나갈 수 있을까?

내가 어리둥절해 있는 동안, 훨씬 시급한 문제가 생겼지.

내 사랑하는 조카딸의 안색이 창백해지더니 병을 앓기 시작했네. 그런데 병세가 너무도 기이한데다가 섬뜩할 정도여서 나는 완전히 겁에 질려버렸지.

처음에 그 아이는 무시무시한 악몽을 꾸었어. 꿈속에서 밀라르카를 닮기도 하고 때로는 짐승처럼 생긴 유령이 어렴풋한 침대 발치에서 이리저리 돌아다닌다고 하더군. 마지막에는 이상한 느낌이 들더래. 불쾌하다기보다는 아주 독특한 느낌이라고 했어. 그 아이의 표현을 빌리자면, 얼음 물줄기가 가슴을 지나 흘러가는 느낌이랬어. 그러다가 나중에는 커다란 바늘 한 쌍이 목 약간 아래쪽을 찌르는 것 같은데, 몹시 날카로운 고통이 느껴졌대. 그리고 며칠 밤이 지난 시점부터 점진적이면서도 간헐적으로 누군가가 목을 조르는 것 같았다는군. 조카딸은 결국 혼수상태에 빠져들었지."

나는 노장군의 이야기를 토씨 하나까지 정확하게 들을 수 있었다. 그쯤에서 마차가 짧은 수풀로 뒤덮인 도로 위를 지나고 있었기 때문이다. 굴뚝에서 연기가 피어오른 지 오십 년도 넘었다는 폐허의 마을이 점점 다가오고 있었다.

장군의 가여운 조카딸이 겪었다는 병세가 나 자신의 증상과 정확히 일치했으니, 내가 얼마나 묘한 기분이었을지 짐작하시리라. 그 아가씨는 잇따른 파국이 없었더라면 우리의 슐로스를 방문한 손님이 되어 있었을 것이다. 게다가 우리의 아름다운 손님인 카르밀라의 습관이나 이상한 점을 장군의 입을 통해 소상히 듣게 된 내 심정이 어땠겠는가!

저 멀리 숲이 펼쳐져 있었다. 어느새 버려진 마을의 굴뚝과 박공들이 우리 곁을 스쳐가고 있었다. 허물어진 성채의 망루와 총안 따위도 보였다. 성채 주위로 무리지어 선 거대한 나무들은 우리 머리 위를 덮칠 듯 버티고 있었다.

오싹한 악몽에 잠긴 채, 나는 마차에서 내렸다. 모두 저마다의 생각에 잠겨서 말이 없었다. 비탈길을 올라갔다. 얼마쯤 갔을까, 넓은 방과 나선형 층계, 어두운 복도가 늘어선 공간에 들어와 있었다.

"여기가 한때 카렌슈타인 가의 웅장한 성이었단 말인가!"

커다란 창문 너머로 마을 쪽을 내려다보던 노장군이 광활하게 펼쳐진 숲 쪽으로 시선을 옮기며 말했다.

"사악한 가문이었어. 그리고 여기에서 그 가문의 피 묻은 연대기가 씌어졌지. 죽은 후에도 여전히 잔학한 욕망으로 인류를 괴롭히다니, 구제불능이야. 저 아래 보이는 것이 카렌슈타인 가문의 예배당일세."

노장군이 고딕 양식으로 지은 건물의 회색 벽을 가리켰다. 가파른 비탈길 조금 아래, 나뭇잎 사이로 회색빛이 언뜻 눈에 들어왔다.

장군이 덧붙였다.

"나무꾼의 도끼질 소리가 들리는데. 저 건물 주변의 숲속에서 분주히 움직이고 있군. 혹시 나무꾼에게서 필요한 정보를 얻을 수 있을지 몰라. 카렌슈타인 백작부인이던 미르칼라의 무덤이 어디 있는지 알려줄지도 모르고. 저런 촌사람들은 지역에 영향을 끼친 귀족 가문의 전통을 잘 간직하고 있으니까. 지체 높은 사람들 사이에서는 그런 전통쯤이야 멸문과 동시에 곧 잊혀버리지만."

"카렌슈타인 백작부인인 밀라르카의 초상화가 내 집에 있네. 언제 한번 구경해보겠나?"

아버지가 물었다.

"이봐 친구, 시간은 많아. 이미 나는 초상화의 주인공을 직접 본 셈이니까. 내가 예정보다 일찍 자네를 찾아온 것은 지금 우리 앞에 있는 저 교회당을 살펴보고 싶어서일세."

"뭐야! 자네가 밀라르카 백작부인을 보았다고? 그럴 리가, 백작부인이 세상을 떠난 지 백 년도 지났는걸!"

"자네 생각처럼 죽은 게 아닌가봐."

"솔직히 말해서 장군, 자네 때문에 무척 혼란스럽네."

아버지가 장군을 바라보면서 말했다. 나는 순간적으로 아버지의 눈에서 또 한번 의혹의 빛이 스치는 것을 보았다. 한편, 장군의 태도는 간간이 분노와 증오가 느껴졌음에도 무척 담담한 편이었다.

"내겐 오직 한 가지 목표만 남았네."

장군이 말했다. 우리는 고딕 양식으로 지은—실제로 그 특징에서 고딕 양식임이 입증되었는데—예배당의 육중한 아치문을 지나가고 있었다.

"내 얼마 남지 않은 여생 동안 그 여자에게 복수하는 일이지. 그래서 하느님께 감사드리고 있어. 생전에 내가 직접 그 일을 할 수 있어서 말이야."

"복수라는 게 무슨 의미인가?"

아버지는 점점 더 놀라는 표정이었다.

"그 괴물의 목을 자르는 것이지."

장군이 붉게 달아오른 얼굴로 힘껏 발을 구르며 말했다. 빈 폐허 속에 그의 발소리가 구슬프게 울려 퍼졌다. 그는 도끼자루를 움켜잡듯 두 손을 그러잡고 높이 치켜들더니 허공을 향해 사납게 흔들어댔다.

"뭐라고?"

아버지가 지금껏 가장 당황한 모습으로 소리쳤다.

"머리를 내리쳐 잘라버리겠다고."

"그녀의 머리를 자른다고!"

"그래. 도끼로, 삽으로, 아니 그녀의 흉악한 목구멍을 찢어놓을 수만 있다면 무엇이든 상관없어. 두고 보게."

장군은 분노로 온몸을 부르르 떨었다. 그러고는 다급히 앞으로 나아가며 말했다.

"저기 들보에 가서 앉으세. 자네 딸아이가 피곤해 보이는군. 저기 가서 좀 쉬게 하자고. 겸사겸사 내 끔찍한 얘기도 마무리를 지어야겠어."

수풀이 무성한 예배당의 보도 위에 들보로 사용했던 네모난 목재가 놓여 있어서 벤치처럼 앉을 수 있었다. 앉을 자리가 생겨서 나는 무척 기뻤다. 장군은 나무꾼을 부르러 갔다. 나무꾼은 오래된 벽면에 늘어진 나뭇가지들을 쳐내고 있었다. 잠시 후, 건장한 체구의 늙은 남자가 도끼를 들고 우리 앞에 나타났다.

나무꾼은 묘비들에 대해 아는 바가 없었다. 하지만 어떤 노인에 대해 알려주었다. 그가 말한 노인은 삼림 감시원 노릇을 하는데, 지금은 삼 킬로미터쯤 떨어진 목사의 집에 묵고 있다고 했다. 그 노인이라면 카렌슈타인 가문의 묘에 대해 속속들이 알고 있을 거라고 했다. 나무꾼은 푼돈을 좀 주고 말 한 마리를 빌려준다면, 삼십 분 안에 그 노인을 데려오겠다고 했다.

"이 숲에서 일한 지 오래 되었나보군?"

아버지가 늙은 나무꾼에게 물었다.

"줄곧 이곳에서 나무꾼으로 일해왔어요."

나무꾼은 프랑스어 사투리로 말했다.

"숲속에서 인생을 다 보낸 셈이지요. 제 아버님도 그랬고, 제가 아는 한 우리 가족은 대대로 이렇게 살아왔어요. 마을에 조상 대대로 살아온 집이 있는데, 보여드릴 수도 있어요."

"어쩌다가 마을이 이렇게 폐허가 되었나?"

장군이 물었다.

"악령들 때문이지요. 몇몇 놈들의 무덤을 찾아내서 확인 절차를 끝낸 뒤, 머리를 자르고 말뚝을 박거나 태우거나 했습니다. 하지만 그것도 마을 사람들이 수없이 죽고 난 뒤의 일이었어요. 다 법에 따라 행한 일이지요. 무수한 무덤을 파헤쳐서 뱀파이어를 수도 없이 없앴건만, 마을 사람들 근심은 덜어지지 않았지요. 그런데 모라비아 출신의 어느 귀족이 여행길에 우연히 이 마을을 지나다가 사정 얘기를 듣게 되었어요. 그분은 그런 일을 처리하는 데 능하셨는데, 그분과 같은 고장 출신 대부분이 그렇다고 하더군요. 그분이 마을의 문제를 처리해주겠다고 하셨지요. 실제로 그렇게 하셨답니다. 그날 밤은 달이 밝았어요. 해가 저문 직후, 그분은 바로 이 예배당의 첨탑으로 올라갔지요. 예배당 묘지가 훤히 내려다보이는 자리였어요. 나리들이 직접 올라가 창문에서 보시면 아실 겁니다. 그분은 뱀파이어가 자기 무덤에서 나올 때까지 첨탑에서 망을 보셨어요. 뱀파이어는 린넨 천을 벗어 무덤 근처에 놓고는 사람들을 괴롭히려고 마을로 사라졌지요.

그분은 모든 상황을 지켜본 뒤에 첨탑에서 내려왔어요. 그러고는 흡혈귀가 벗어놓은 린넨 천을 주워서 첨탑으로 가져갔어요. 마을을 배회하다 돌아온 흡혈귀는 없어진 옷을 찾다가 첨탑에서 모라비아 귀족을 발견하고 사납게 울부짖었어요. 모라비아 귀족은 흡혈귀에게 직접 올라와서 옷을 가져가라고 손짓을 해보였지요. 첨탑을 오르기 시작한 흡혈귀가 총안이 있는 지점에 닿는 순간, 모라비아 귀족이 단칼에 놈의 해골을 두 동강 냈답니다. 그러고는 놈을 예배당 아래로 내던졌지요. 나선형 층계를 따라 첨탑을 내려온 모라비아 귀족은 놈의 머리를 자른 뒤, 다음날 아침에 잘라낸 머리와 몸통을 마을 사람들에게 가져다주었어요. 마을 사람들은 뱀파이어의 몸에 말뚝을 박고 불을 태웠죠.

그 일을 계기로 모라비아 귀족은 당시 카렌슈타인 가의 가장에게서 밀라르카 백작부인의 묘를 이장해도 좋다는 허락을 받았지요. 모라비아 귀족은 맡은 일을 훌륭하게 끝마쳤어요. 그 후로는 그 무덤이 어디에 있는지 까맣게 잊혀졌답니다."

"혹시 그 무덤이 어디 있는지 가르쳐줄 수 있겠나?"

장군이 절박하게 물었다.

나무꾼은 고개를 젓더니 미소를 지었다.

"지금 살아 있는 사람 중에서 아무도 그곳을 가르쳐주진 못할 겁니다. 게다가 백작부인의 시신을 없애버렸다고는 하지만, 그 말이 사실인지 아무도 모르지요."

이야기를 마친 나무꾼은 도끼를 던져버리고 자리를 떠났다. 우리는 노장군의 기묘한 이야기를 마저 듣기 위해 계속 그 자리에 머물러 있었다.

제14장 만남

장군이 다시 말을 이었다.

"그 아이는 급속도로 나빠졌어. 내 짐작대로 의사는 아이의 병증에 대해 아는 것이 없더군. 내가 불안해하는 것을 보고 걱정 말라는 위로의 말만 했으니까. 그라츠에서 좀 더 유능한 의사를 불러왔네. 그가 도착하기까지 며칠이 걸렸지. 학식이 풍부할 뿐 아니라 선량하고 신앙심이 돈독한 인물이더군. 주치의와 초빙된 의사가 조카딸을 진찰한 후, 내 서재에서 함께 의논을 하더군. 나는 바로 옆방에서 의사들이 부를 때까지 기다리고 있었는데, 두 사람이 나누는 대화가 전문적인 토론을 벌이는 것이라기엔 꽤 날이 선 목소리더라고. 나는 서재 문을 두드리고 안으로 들어갔어. 마침 그라츠에서 온 늙은 의사가 자신의 의견에 한창 열을 올리고 있었지. 얼빠진 표정의 주치의는 폭소까지 터뜨리면서 반박을 하더군. 그런 광경니 내가 서재에 들어서는 순간 돌변했지.

조카딸을 맨 처음 진찰한 의사가 말했어.

'장군님. 이 박식한 분의 말씀으로 미루어, 장군께는 의사가 아니라 주술사가 필요할 듯합니다.'

그라츠에서 온 늙은 의사가 불쾌한 표정으로 말했지.

'내 말을 곡해하진 마시오. 나는 언제든 내가 진찰한 소견을 밝힐 생각입니다. 장군님, 저의 의술이나 의학적 지식으로는 아무 도움을 드릴 수 없어 유감입니다. 가기 전에 장군께 솔직히 조언드릴 것이 있습니다.'

늙은 의사는 골몰한 표정으로 자리에 앉더니 뭔가를 쓰기 시작했어. 크게 낙심한 내가 인사를 하고 서재에서 나가려는데, 주치의가 글을 쓰는 늙은 의사를 어깨너머로 흘깃거리더군. 그러더니 어깨를 으쓱해 보이고는 맙소사 하는 표정으로 이마를 치더라고.

이게 바로 그때 의사에게 받은 진단서야. 나는 미칠 듯한 심정으로 집 밖으로 나갔어. 십여 분쯤 지났을까, 그라츠에서 온 의사가 뒤따라오더군. 그러고는 미안하다고 말한 뒤, 내게 몇 가지 더 알려주지 않고는 양심상 그냥 떠날 수 없다고 했어. 자신의 진찰 소견은 틀림없으며, 조카딸과 비슷한 증상을 보이는 질병은 없다고, 이미 임종에 가까운 상태라고 말하더군. 하루 이틀 정도의 시간이 남아 있다고, 현재로서는 회복될 가능

성이 전무하다고 말일세. 언제 죽을지 모르는 위급한 상태지만 또 한 번 결정적인 발작이 일어날지 모른다고도 했어.

'발작이라니, 그게 무슨 소리시오?'

내가 간절히 물었지.

'이 쪽지에 다 적어놓았습니다. 임종의 순간이 분명해졌을 때, 가장 가까운 곳의 목사를 부르세요. 목사가 배석한 가운데 이 쪽지를 읽으십시오. 반드시 목사와 함께 있을 때 읽어야 합니다. 생사가 달린 문제니 꼭 명심하십시오. 부득불 목사가 도착하지 못한다면, 그땐 혼자 읽으셔도 좋습니다.'

의사는 떠나기 전, 조카딸과 비슷한 병증에 아주 정통한 사람이 있으니 한번 만나보겠냐고 묻더군. 나중에 내가 편지를 읽고 나면 누구보다 필요한 사람일 거라며, 꼭 한번 찾아가보라고 말이지. 그러고 의사는 떠났어.

성직자는 오지 못했고, 결국 나 혼자 그 쪽지를 읽었네. 다른 시간에 다른 일 때문에 그 쪽지를 읽었더라면 웃고 말았을 거야. 하지만 사랑하는 가족의 목숨이 경각에 달려 있는데다 모든 방법이 수포로 돌아간 상황이라면, 아무리 엉터리 치료법이라도 지푸라기를 잡는 심정으로 매달리지 않을 사람이 있겠나?

늙은 의사의 쪽지만큼 터무니없는 것도 없을 걸세. 의사를 정신병원에 집어넣어도 될 정도로 해괴망측하니까. 그 의사는, 조카딸이 뱀파이어의 공격을 받았다고 했어. 게다가 뱀파이어의 입술이 닿으면 반드시 생긴다는 작고 검푸른 자국이 또렷하고, 유사한 뱀파이어 사례를 통해 기록된 증상과 조카딸의 증상이 모두 일치하는 것으로 봐서 틀림없다고 덧붙였더군.

나는 원래부터 뱀파이어 따위의 신비한 존재는 믿지 않는 사람이야. 유능하다는 의사가 그런 미신적인 이론을 들이밀다니, 나로서는 학식이 깊고 지적인 사람들이 의외로 망상에 사로잡히는 일례를 또 한번 목격한 셈이지. 하지만 마냥 손을 놓고 있자니 너무도 참담한 심정이어서 쪽지에 적힌 대로 따랐네.

나는 촛불이 밝혀진 조카딸의 방에서 검은 옷으로 내 몸을 숨긴 채, 곤히 잠든 그 아이를 지켜보았지. 쪽지에 적힌 대로 복도 탁자 위에 칼을 올려놓은 뒤, 그 옆 문간에서 문틈으로 안을 살폈어. 한 시가 조금 넘었을까, 검은색의 커다랗고 흉측한 형체 하나가 침대 발치를 기어가다가 잽싸게 조카딸의 목을 향해 몸을 쭉 펼쳤어. 그것은 순식간에 커다란 덩어리로 변했는데, 맥박이 뛰듯 덩어리 전체가 들썩거렸지.

$그림 『카르밀라』 중에서, 데이비드 헨리 프리스톤 작 (1872)

잠시 동안 나는 얼어붙은 채 서 있었네. 이윽고 칼을 움켜잡고 방 안으로 뛰어들었지. 검은 형체는 침대 발치로 움츠러들더니 미끄러지듯 침대에서 일 미터쯤 떨어진 바닥에 멈춰 서더군. 은밀히 숨겨진 잔악성과 오싹함으로 이글거리는 눈동자가 나를 노려보았어. 내가 본 것은 밀라르카였네. 납득이 가지 않는 상황임에도 나는 즉시 밀라르카를 향해 칼을 휘둘렀어. 하지만 밀라르카는 말짱한 모습으로 문가에 서 있더군. 나는 겁에 질린 채로 그녀를 쫓아가 다시 칼을 휘둘렀어. 밀라르카는 감쪽같이 사라졌고, 허공을 가른 칼은 문짝을 내리치고 말았지.
그 끔찍한 밤에 벌어진 일을 전부 입에 올릴 엄두가 나지 않네. 집안 전체가 들썩이는 것 같았어. 밀라르카의 유령은 사라지고 없었지. 하지만 그녀의 희생양은 죽음의 나락으로 빠르게 가라앉다가 결국 아침이 오기 전에 숨을 거두고 말았네."

노장군은 몹시 동요하고 있었다. 우리는 아무 말도 하지 못했다. 약간 떨어진 곳에서 묘비의 비문을 읽던 아버지가 조사를 위해 예배당으로 들어갔다. 장군은 퀭한 눈빛으로 벽에 기댄 채 무겁게 한숨을 쉬었다. 때마침 가까이서 카르밀라와 페로돈 부인의 목소리가 들려와 나는 마음이 놓였다. 조금씩 그들의 목소리가 희미해졌다.

쓸쓸하고 황량한 정적 속에서 방금 전해들은 너무도 기이한 이야기는 그 지체 높은 가문의 묘지와 자연스레 모종의 연관성을 떠올리게 만들었다. 먼지와 담쟁이덩굴 속에서 허물어져가는 묘비들은 저마다 어떤 사연을 간직하고 있을지 몰라도 내게는 참으로 끔찍하게만 느껴졌다. 소리 없는 벽처럼 주위를 뒤덮은 빽빽한 나뭇잎이 그늘을 드리운 으스스한 공간에서 서서히 공포가 엄습하기 시작했다. 그리고 잠시 뒤면 그 음침하고 불길한 장소에 가정교사와 카르밀라가 나타남으로써 사태가 더욱 혼란스러워질 것을 생각하니 마음이 착잡해졌다.

부서진 비문 아랫부분을 어루만지던 장군은 무덤에서 시선을 떼지 않았다.

비좁은 아치문, 고딕 전통의 냉소적이고 오싹한 상상력이 빚

어낸 악마적인 기괴함이 스며있는 그 아치문을 통해서 음침한 예배당으로 들어서는 카르밀라의 아름다운 자태를 보는 순간 나는 무척 기뻤다.

막 일어서서 말을 하려다가 카르밀라 특유의 매력적인 미소를 보고는 묵묵히 고개를 끄덕일 때였다. 곁에 있던 장군이 고함을 지르면서 나무꾼의 도끼를 집어들고 앞으로 뛰쳐나갔다. 장군의 모습이 난폭하게 변해 있었다. 순식간에 벌어진 끔찍한 상황에 카르밀라는 뒤로 흠칫 물러났다. 내가 미처 비명을 지르기도 전에 장군은 카르밀라를 향해 있는 힘껏 도끼를 휘둘렀다. 그러나 몸을 웅크려 용케 도끼를 피한 카르밀라는 연약한 몸짓으로 장군의 허리를 움켜잡았다. 벗어나려고 버둥거리던 장군의 손에서 도끼가 떨어졌고, 카르밀라는 종적을 감추었다.

장군은 휘청거리며 벽에 기댔다. 쭈뼛 일어선 잿빛 머리칼과 땀으로 번들거리는 얼굴. 마치 죽음을 앞둔 사람의 모습 같았다.

그 무시무시한 광경은 순식간에 지나갔다. 나중에 기억을 되살렸을 때 제일 먼저 떠오른 것은 내 앞에 서 있던 페로돈 부인과 그녀가 초조히 되묻던 말이었다.

"카르밀라 양은 어디에 있지?"

나는 간신히 대답했다.

"몰라요. 저쪽으로 갔는데, 모르겠어요. 일이 분쯤 전에."

나는 페로돈 부인이 방금 전에 들어선 문을 가리켰다.

"그럴 리 없어. 카르밀라 양이 들어간 뒤로 쭉 통로에 서 있었는걸. 카르밀라 양이 문으로 다시 나오는 건 못 봤다니까."
페로돈 부인이 문과 복도와 창문에 대고 "카르밀라!" 하고 소리쳐 불렀으나, 아무 대답이 없었다.
"자기 이름이 카르밀라라던가?"
장군이 여전히 초조한 기색으로 물었다.
"카르밀라, 맞아요."
내가 대답했다.
"그럴 테지. 그녀은 밀라르카야. 오래전에 카렌슈타인 백작부인으로 불린 미르칼라와 동일인이야. 얘야, 가능한 한 서둘러서 이 저주받은 땅을 떠나거라. 곧장 목사의 집으로 가서 우리가 갈 때까지 기다려, 어서! 카르밀라를 다시 볼 생각은 마라. 앞으로 이승에서 볼 수 없을 테니까."

제15장 사면과 처단

장군이 말하는 동안, 카르밀라가 사라진 예배당 문으로 어떤 사내가 들어섰다. 나는 그토록 기묘하게 생긴 사람을 처음 보았다. 그 사내는 큰 키에 가슴이 좁고 구부정했으며 검정색 옷을 입고 있었다. 갈색 얼굴에 메마른 주름이 깊게 패었고, 넓은 잎사귀로 장식된 괴상한 모자를 쓰고 있었다. 긴 잿빛 머리칼은 어깨까지 내려와 있었다. 이상하리만큼 느릿느릿 거닐면서 간간이 하늘과 땅을 번갈아 쳐다보는 사내의 얼굴에는 금테 안경과 새겨넣은 듯한 변함없는 미소가 걸려 있었다. 길고 가는 팔은 활갯짓하듯 흔들거렸고, 헐렁한 검은색 장갑을 낀 앙상한 손은 종잡을 수 없는 손짓을 멈추지 않았다.

장군이 반색하면서 앞으로 나갔다.

"저 사람! 허허, 남작. 뜻밖에도 귀하를 이리 일찍 만나다니 정말 다행이오."

장군은 마침 자리로 돌아온 아버지에게 손짓을 하더니 남작이라는 그 기괴한 노신사를 소개했다. 형식적인 소개가 끝나자, 세 사람은 곧 거침없는 대화를 시작했다. 남작은 주머니에서 두루마리를 꺼내 주변에 있는 묘비 위에 펼쳤다. 그가 연필로 가상의 선을 따라 어딘가를 짚어가는 동안, 이따금씩 오가던 세 사람의 시선은 마침내 건물의 한 지점에 집중되었다. 그걸 보고 나는 두루마리가 예배당의 설계도라고 결론지었다. 한편, 작고 지저분한 책을 들고 있던 남작이 누런 종이에 빽빽하게 적힌 글씨를 읽어가며 설교투로 뭔가를 설명하기 시작했다.

세 사람은 내가 서 있는 곳의 맞은편 측랑을 거닐며 이야기를 나누었다. 이윽고 보폭으로 거리를 재는가 싶더니, 어느 측벽 앞에 이르러 셋이 한꺼번에 멈춰 섰다. 벽면에 뒤덮인 담쟁이덩굴을 걷고 막대기 끝으로 회반죽을 두드려보다가 이곳저곳을 긁어보는 등 그들은 아주 꼼꼼하게 측벽을 살펴보기 시작했다. 그러고는 마침내 표면에 글자가 돋을새김된 널찍한 대리석 석판을 찾아냈다.

다시 나타난 나무꾼의 도움으로 비문과 방패꼴의 가두리 장식판이 그 모습을 드러냈다. 둘 다 오래전에 유실된 카렌슈타인 백작부인 미르칼라의 것으로 판명되었다.

기도하는 모습이라고 보긴 어려웠지만 늙은 장군은 손을 치켜들고 하늘을 향해 잠시 감사의 말을 중얼거렸다.

잠시 후 장군의 목소리가 들려왔다.

"내일, 행정관이 여기 도착하면 법에 따라 종교 재판이 열릴 것이오."

그러고는 금테 안경을 쓴 노신사에게 돌아서서 그의 두 손을 굳게 잡고 말했다.

"남작, 내 어찌 고마움을 이루 말할 수 있겠소? 참으로 고마운 일이오. 덕분에 백 년이 넘게 이 지역을 유린해온 재앙에서 우리 모두를 구하게 됐소이다. 드디어 그 끔찍한 적을 찾아냈으니, 천만 다행입니다."

아버지가 노신사를 한쪽으로 이끌자 장군이 그 뒤를 따랐다. 말소리가 들리지 않는 곳으로 자리를 옮기고 내 문제를 화제로 삼는 것 같았다. 실제로 그들 사이에서 이야기가 오가는 동안 간간이 나를 힐끔거리는 시선을 접할 수 있었다.

아버지는 내게 다가와 여러 번 내 뺨에 입을 맞추고는 예배당 밖으로 나를 데려갔다.

"돌아갈 시간이구나. 하지만 그 전에 여기서 멀지 않은 데 사는 목사님에게 청해 함께 가야 한단다. 목사님께 슐로스까지 우리와 동행해달라고 부탁하자꾸나."

아버지의 계획은 어긋나지 않았다. 몹시도 피곤하던 터라 나는 집에 도착했을 무렵 무척 기뻤다. 그러나 기쁨도 잠시, 카르밀라에게서 아무 소식이 없다는 사실을 알고 당혹감에 빠졌다. 황량한 예배당에서 벌어진 일에 대해 아무도 설명을 해주지 않았다. 그 일을 내게 비밀로 하려는 아버지의 결심이 분명해진 셈이었다.

카르밀라가 사라졌다는 불길함 때문에 예배당에서의 일이 더욱 섬뜩하게 느껴졌다. 그날 밤 잠자리에 들기 위한 준비는 유별났다. 하인 둘과 페로돈 부인이 내 방에서 밤을 새웠다. 목사님과 아버지는 내 방에 딸린 의상실에서 불침번을 섰다.

그날 밤 목사님은 꽤 엄숙한 의식을 진행했다. 나는 그저 편한 잠자리를 위한 조치라기엔 지나치다고 생각했을 뿐, 정확한 사정을 알지 못했다.

며칠이 지나서야 나는 모든 사정을 명확히 알게 되었다.

카르밀라가 사라진 후, 내가 매일 밤 시달려온 고통도 멈추었다.

여러분은 스티리아, 모라비아, 슐레지엔, 터키령 세르비아, 폴란드, 심지어 러시아에까지 광범위하게 퍼져 있는 오싹한 미신을 한 번쯤 들어봤을 터이다. 말하자면, 뱀파이어의 미신 말이다.

지금까지 뱀파이어에 대한 무수한 조사 과정에는 엄청난 인원이 동원되었고 심사관의 면면 또한 하나같이 고결하고 박식한 인물들로 구성되었다. 단일 사건 사상 가장 방대한 양으로 추정되는 보고서와 진술을 면밀하고 진지하게 그리고 공평무사하게 받아들이고 그 가치를 인정한다면, 뱀파이어의 존재를 부인하거나 의심하지는 못할 것이다.

나로서는 내가 직접 목격하고 경험한 일련의 사건을 설명해 줄 만한 이론을 들어본 적이 없다. 차라리 옛날부터 이 지역에 퍼져 있는 소문에 더 신빙성이 있다.

다음날, 카렌슈타인 예배당에서 형식적인 절차가 진행되었다. 미르칼라 백작부인의 무덤이 파헤쳐졌다. 장군과 아버지는 각자의 신뢰를 저버린 미모의 방문객을 두 눈으로 확인했다. 미르칼라의 유해는 장례식 이후 백오십 년이 흘렀음에도 생기가 느껴졌다. 그녀는 눈을 뜨고 있었으며, 관에서 시취(尸臭)도 풍기지 않았다. 현직 의사와 조사관의 일원으로 참여한 의학자들은 놀랍게도 시체에서 희미하지만 분명한 호흡과 심장 박동에 상응하는 움직임을 확인했다. 더없이 유연한 팔다리, 탄력적인 피부, 그리고 납관 바닥에서 이십 센티 높이까지 고여 있는 핏물에 시체의 상당부분이 잠겨 있는 것은 바로 뱀파이어의 존재를 알리는 흔적이자 증거였다. 오랜 관습에 따라 관에서 시체를 꺼낸 뒤 날카로운 말뚝을 그 심장에 박았다. 그 순간 시체에서 산 자의 마지막 신음처럼 날카로운 비명이 흘러나왔다. 그 다음, 시체의 목을 잘랐다. 잘린 목에서 피가 솟구쳤다. 시체의 몸뚱이와 머리는 장작더미에 올라 재로 변한 뒤, 강에 흩뿌려졌다. 그 후로 그 지역에 뱀파이어가 재앙을 불러온 일은 두 번 다시 없었다.

아버지는 당시 집행에 참여한 사람들의 서명과 확인 진술서가 첨부된 제국 위원회의 보고서 사본을 소장하고 있다. 내가 방금 요약한 충격적인 마지막 장면은 그 공식 문건을 바탕으로 한 것이다.

에필로그

내가 이 글을 담담하게 쓰고 있다고 생각할지 모르겠습니다. 그러나 천만의 말씀입니다. 그 일을 떠올릴 때마다 나는 심한 동요를 일으킵니다. 귀하의 거듭된 청이 있었기에 몇 달 동안 신경 쇠약에 시달리면서도 이 글을 쓴 것이며, 그래서 용케 파멸에서 벗어난 이후로도 오랫동안 낮과 밤을 끔찍하게 만들고 독신의 삶을 소름끼치게 만든 극도의 공포를 다시 떠올린 것입니다.

특이한 인물인 보르덴부르크 남작, 그러니까 밀라르카 백작 부인의 무덤을 찾아내는 데 결정적인 단서를 제공한 그분에 대해 몇 마디 덧붙여야겠습니다.

보르덴부르크 남작은 한때 북부 스티리아에서 가문의 막대한 유산을 물려받았으나, 뱀파이어에 대한 놀라운 사실들을 연구하는 데 매달리다가 지금은 그라츠에서 근근이 살아가고 있습니다. 위대한 성과임에도 줄곧 무시되어온 뱀파이어 관련 저작물에 정통한 분이지요. 존 크리스토퍼 헤렌버그가 집필한 『사후의 주술』, 『지옥불』, 『죽은 자를 위한 보살핌에 대하여』, 『뱀파이어에 대한 기독교적 인식』 등 많은 책이 있지만, 그분이 아버지에게 빌려준 몇 권만 기억이 나는군요. 남작은 뱀파이어와 관련된 법정 판례를 빠짐없이 요약하고, 그 방대한 자료를 바탕으로 뱀파이어의 생존 조건을—일반적인 것과 예외적인 것을 모두 포함해서—규명하는 하나의 체계를 끌어냈지요. 간단하게 언급하자면, 뱀파이어가 시체처럼 소름끼치게 창백하다는 것은 통속 소설에 불과합니다. 무덤 속에 있지만 스스로 인간 세계에 모습을 드러낼 때는 건강한 모습이지요. 뱀파이어의 관을 열어보면 오래전에 죽은 카렌슈타인 백작부인이 그랬듯 뱀파이어 특유의 생명력이 여실히 드러납니다.

뱀파이어가 매일 무덤에서 나왔다가 몇 시간 만에 되돌아가는 과정에서 어떻게 관이나 수의에 진흙 따위의 흔적을 조금도 남기지 않는지는 여전히 미궁으로 남아 있지요. 뱀파이어의 이중적인 생활은 날마다 무덤에서 잠시 휴식을 취함으로써 유지됩니다. 깨어 있는 동안의 왕성한 활력은 산 자의 피를 원하는 지독한 탐욕이 대체된 것이지요. 뱀파이어는 특정한 사람들에 대해 사랑의 열정과 비슷한 격정에 사로잡히는 경향이 있습니다. 그래서 엄청난 인내와 책략을 구사함으로써 상대를 꼼짝 못 하게 만든 뒤 접근하지요. 자신의 열정에 싫증이 나고 유혹한 상대방의 생명력이 고갈될 때까지는 결코 포기하는 법이 없어요. 하지만 그럴 때는 식도락가의 섬세함으로 살인의 쾌락을 아끼고 절제합니다. 그래서 능란한 구애의 기교로 서서히 상대에게 다가감으로써 쾌락의 강도를 높여가지요. 이때는 상대에게서 연민과 동의 같은 것을 구하려고 안달하는 것 같아요. 보통은 상대방에게 거침없이 다가가서 힘으로 제압한 뒤 질식시

키고 생명을 모조리 빨아들임으로써 단번에 축제를 끝냅니다.

뱀파이어는 상황에 따라 특별한 조건을 지키는 것으로 보입니다. 내가 이야기한 내용을 자세히 살펴보면, 실명이 아닐지라도 '미르칼라'는 글자를 덧붙이거나 빼지 않고 철자만 바꾸어서 지은 이름입니다. 카르밀라, 밀라르카, 이렇게 말이지요.

보르덴부르크 남작은 카르밀라를 처단한 뒤 이삼 주 정도 우리와 함께 머물렀습니다. 아버지는 남작에게 모라비아 귀족과 카렌슈타인 묘지의 뱀파이어에 대해 말한 뒤, 오랫동안 은폐되어온 미르칼라 백작부인의 무덤을 어떻게 정확히 찾아냈는지 물었답니다. 남작의 그로테스크한 얼굴에 뜻 모를 미소처럼 주름이 지더군요. 남작은 입을 열기 전에 한동안 고개를 숙이고 닳아빠진 안경 케이스를 매만졌습니다.

"나는 모라비아의 그 비범한 귀족이 쓴 일지와 글을 꽤 많이 입수했소. 그중에서 가장 흥미로운 것은, 말씀하신 대로 그 사람이 카렌슈타인 묘지를 방문하고 쓴 글이었소. 물론 약간은 변질되고 왜곡된 부분도 있지요. 귀족 신분인데다 모라비아로 거주지를 옮겼기 때문에 모라비아 귀족으로 불렸을 겁니다. 하지만 사실 그는 북부 스티리아 토박이였소. 아주 젊은 시절, 그는 아름다운 미르칼라를 열정적으로 사모했소. 미르칼라의 때 이른 죽음은 그를 참담한 슬픔으로 몰아넣었지요. 뱀파이어는 본능적으로 힘을 키우고 번식하는데, 확실하면서도 영적인 법칙을 따릅니다.

뱀파이어와는 아무 관련 없는 지역이 있다고 칩시다. 그런데 어떻게 뱀파이어가 출현하고 세력을 키웠을까요? 그 답은 이렇소. 꽤 사악한 어떤 사람이 스스로 목숨을 끊었소. 때에 따라서 자살을 하면 뱀파이어가 되기도 합니다. 그 요괴가 잠든 사람들을 찾아온 겁니다. 요괴의 방문을 받은 사람들은 목숨을 잃고 거의 예외 없이 무덤에서 뱀파이어로 변하지요. 그런 일이 미모의 미르칼라에게도 벌어진 것입니다. 저의 조상인 보르덴부르크 남작이 그 사실을 알아내고 평생을 연구한 결과 꽤 많은 부분까지 밝혀내셨소.

무엇보다 그분은 살아생전 흠모한 백작부인에게도 조만간 뱀파이어의 손길이 미칠 것이라고 결론지었소. 천인공노할 사건으로 백작부인의 유해가 능멸될 것을 떠올리며 공포에 사로잡히셨지요. 그분이 남긴 기이한 기록에는 이중생활에서 벗어난 뱀파이어가 훨씬 무서운 힘을 발휘한다는 내용이 있소. 이런 이유로 그분은 한때 사랑한 미르칼라를 무서운 재앙에서 구하고자 결심하신 거지요.

그분은 미르칼라의 무덤을 이장한다는 명분으로 이곳에 오셨는데, 실제로는 묘비를 없애기 위해서였소. 노년에 접어들어 옛날과 다른 심정으로 자신이 한 일을 떠올리다가 그만 공포에 사로잡히셨지요. 그래서 내가 무덤의 위치를 정확히 찾을 수 있게 흔적과 메모를 남기셨고, 본인이 저지른 속임수를 솔직히 고백하셨소. 그분이 이 문제를 좀 더 심각하게 생각하셨더라면 아마 죽음을 무릅쓰고라도 어떤 조치를 취하셨을 겁니다. 결과적으로 뒤늦은 감이 있긴 하나, 오랜 후손에 이르러 그 요괴의 은신처를 찾게 된 셈이오."

당시 더 많은 이야기가 오가는 중에 남작은 이렇게 덧붙였답니다.

"뱀파이어의 특징 중 하나는 손아귀 힘이오. 장군이 도끼를 휘두르는 순간, 미르칼라의 가녀린 손이 강철 죔쇠처럼 장군의 허리를 움켜잡았지요. 하지만 손아귀의 힘만 그런 게 아니라오. 사지를 꼼짝 못 하게 마비시키는데, 설사 회복이 된다 해도 오랜 시간이 걸리지요."

이듬해 봄, 아버지는 나를 데리고 이탈리아 전역을 여행했습니다. 일 년이 넘게 집을 떠나 있었지요. 여행을 하는 동안 내가 겪은 공포도 사그라졌습니다. 지금 이 순간까지 카르밀라는 종종 모호한 모습으로 떠오릅니다. 때로는 장난기 많고 나른하고 아름다운 아가씨, 때로는 폐허가 된 예배당에서 몸부림치던 악마가 되어 나타나지요. 그렇게 꿈결처럼 상념에 잠겨 있노라면 종종 응접실 문가에서 카르밀라의 가벼운 발소리가 들려오는 것 같아요.

카르밀라

밤파이어 걸작선 1 | 고딕문학 총서 011

초판 발행 | 2024년 6월 5일

지은이 | 조셉 셰리든 르 파뉴
옮긴이 | 미스터고딕 정진영
펴낸이 | 정진영
펴낸곳 | 아라한

출판사등록 | 2010년 7월 29일 제396—2010—000096호

주 소 | 경기도 고양시 일산동구 중산동 25
전 화 | 070—7136—7477
팩 스 | 0508—917—7477
이메일 | arahanbook@naver.com

ISBN | 979-11-93264-90-4 03840